実務家による改正法シリーズ③

改正民事執行法等（令和2年施行）の解説と書式

大阪弁護士協同組合 編

大阪改正民執法等研究会 著

発刊のご挨拶

　このたび，大阪弁護士会協同組合より，実務家による改正法シリーズ3として，「改正民事執行法等の解説と書式」を発刊することとなりました。

　民事執行法（昭和54年法律第4号）については，昭和54年の制定後，社会経済情勢の変化に対応して，権利実現の実効性の向上という観点から何度か改正されてきましたが，令和元年5月，債務者の財産状況の調査に関する制度の実効性向上や不動産競売における暴力団員の買受けの防止，子の引渡しの強制執行に関する規律など，実務的にも重要な部分の改正が行われました。

　民事執行法の今回の改正を理解することは，法を通じて権利実現を図ろうとする債権者にとって非常に重要です。また，民事執行の手続を速やかに進めるためには適切な書式を知ることがスタートとなります。

　本書は，民事執行法改正に際して，パブリックコメントに対する大阪弁護士会の意見の検討等に携わってきた大阪弁護士会の有志の方にお願いをして，実務家が理解しやすく，使いやすいものとのコンセプトで執筆・編集していただきました。大阪地方裁判所第14民事部（執行部）のご協力を得て，たくさんの書式例をご提供いただきました。心から感謝申し上げる次第です。

　本書が，弁護士はもちろんのこと，債権回収等の実務を担う企業法務の担当者の方々の実務の手助けとなれば，望外の喜びです。

　末筆ながら，当組合の出版委員会第4部会の皆様，また，株式会社ぎょうせいの稲葉輝彦様には多大なるご協力をいただきましたことに心からお礼申し上げ，本書発刊のご挨拶とさせていただきます。

　令和3年4月

大阪弁護士会協同組合

理事長　大砂　裕幸

はしがき

　平成28年（2016年）9月12日，民事執行法制の見直しについて，法務大臣からの諮問があり，法制審議会において審議され，令和元年（2019年）5月10日，「民事執行法及び国際的な子の奪取の民事上の側面に関する条約の実施に関する法律の一部を改正する法律」（令和元年法律第2号）が成立し，同月17日に公布され，令和2年（2020年）4月1日に施行された。

　私たち大阪改正民執法等研究会は，上記立法過程において，大阪弁護士会での検討に参画した弁護士のうちの有志とその他改正民事執行法等に関心を有する弁護士の集まりであり，本書を出版することとした。

　上記改正法における改正項目に係る実務を含む民事執行等実務においては，裁判所への申立て等に用いる書式が極めて重要である。そこで，大阪地方裁判所のご承諾をいただくなどして，本書巻末に，申立書等の書式集を掲載することとした。今般の改正法における改正項目に係る申立書等の書式は，大阪地方裁判所と東京地方裁判所とでは，若干，異なる部分がある。私たちは，いずれも大阪弁護士会に所属する弁護士であり，大阪地方裁判所における申立書等の書式を中心に掲載している。もちろん，他の地方裁判所においても，本書掲載の申立書等の書式を用いることは可能である。なお，本来，令和2年4月1日施行日に合わせて出版予定であったが，裁判所におかれて，同施行日以降も，申立書等書式の改訂作業が予定されていた関係もあり，今般の出版となった。

　上記のとおり民事執行等実務においては申立書等の書式が重要であるが，同申立書等の書式の適切な利用・民事執行等実務の適切な運用のためには，同申立書等書式の内容の意味合いやその裏付けである法律理論等についての理解が必要である。本書は，同申立書等書式の内容の意味合いやその裏付けである法律理論等について解説している。

本書は，上記書式と理論等の双方について掲載するものとして，民事執行等実務に役立つことを期している。無論，私たちの能力不足のため思わぬ過誤等がある可能性もある。読者の方々からのご指摘，ご指導を賜ることができれば，幸いである。

令和3年（2021年）4月

大阪改正民執法等研究会

執筆者一同

目　　次

凡　例

1　法令名の略称

法令名を略称する場合は，原則として，次のとおり略称した。なお，令和元年法律第2号又は令和元年最高裁判所規則第5号による改正前の法律又は最高裁判所規則の条文を引用する場合は，法令名の前に「旧」を付した。

改　正　法　　民事執行法及び国際的な子の奪取の民事上の側面に関する条約の実施に関する法律の一部を改正する法律（令和元年法律第2号）

民　執　法　　民事執行法

民執規則　　民事執行規則

ハーグ条約　　国際的な子の奪取の民事上の側面に関する条約

ハーグ条約実施法　　国際的な子の奪取の民事上の側面に関する条約の実施に関する法律

ハーグ条約実施規則　　国際的な子の奪取の民事上の側面に関する条約の実施に関する法律による子の返還に関する事件の手続等に関する規則

民訴費用法　　民事訴訟費用等に関する法律

民訴費用規則　　民事訴訟費用等に関する規則

民　訴　法　　民事訴訟法

民訴規則　　民事訴訟規則

民　保　法　　民事保全法

民保規則　　民事保全規則

民　再　法　　民事再生法

会　更　法　　会社更生法

家　事　法　　家事事件手続法

暴力団対策法　暴力団員による不当な行為の防止等に関する法律

厚　年　法　　厚生年金保険法

社債株式等振替法　　社債、株式等の振替に関する法律

2 法制審議会民事執行法部会関係

法制審議会民事執行法部会における部会資料などについては，次のとおり略称した。

中間試案　　　民事執行法の改正に関する中間試案

中間試案補足説明　　民事執行法の改正に関する中間試案（平成29年9月法務省民事局参事官室）

部会資料○−○　　法務省法制審議会民事執行法部会　部会資料○−○

3 引用文献の略称

引用文献を略称する場合は，原則として，次のとおり略称した。

内野ほか・Q＆A　　内野宗揮編著『Q＆A令和元年改正民事執行法制』（きんざい，2020年）

内野＝劔持・解説運用実務　　内野宗揮＝劔持淳子編著『令和元年改正民事執行法制の法令解説・運用実務』（きんざい，2020年）

山本ほか・論点解説　　山本和彦監修『論点解説令和元年改正民事執行法』（きんざい，2020年）

相澤＝塚原・執行実務4版債権執行編（上）　　相澤眞木＝塚原聡編著『民事執行の実務（第4版）・債権執行編（上）』（きんざい，2018年）

相澤＝塚原・執行実務4版債権執行編（下）　　相澤眞木＝塚原聡編著『民事執行の実務（第4版）・債権執行編（下）』（きんざい，2018年）

伊藤ほか・条解民執法　　伊藤眞＝園尾隆司編集代表『条解民事執行法』（弘文堂，2019年）

金子ほか・ハーグ一問一答　　金子修編集代表『一問一答国際的な子の連れ去りへの制度的対応―ハーグ条約及び関連法規の解説―』（商事法務，2015年）

総研・執行文講義案　　裁判所職員総合研修所監修『執行文講義案（改訂版）』（司法協会，平成17年）

内野ほか・金法2120号　　内野宗揮＝山本翔＝吉賀朝哉＝松波卓也「民

　　　　　事執行法等の改正の要点（２）―金融実務に関連する項
　　　　　目を中心に―」金法2120号19頁以下

内野ほか・金法2122号　　内野宗揮＝山本翔＝吉賀朝哉＝松波卓也「民
　　　　　事執行法等の改正の要点（３）―金融実務に関連する項
　　　　　目を中心に―」金法2122号36頁以下

内野ほか・金法2124号　　内野宗揮＝山本翔＝吉賀朝哉＝松波卓也「民
　　　　　事執行法等の改正の要点（４）―金融実務に関連する項
　　　　　目を中心に―」金法2124号32頁以下

内野ほか・金法2126号　　内野宗揮＝山本翔＝吉賀朝哉＝松波卓也「民
　　　　　事執行法等の改正の要点（５・完）―金融実務に関連す
　　　　　る項目を中心に―」金法2126号31頁以下

谷藤・金法2129号　　谷藤一弥「改正民事執行法の施行に伴う民事執行
　　　　　規則等の一部改正の概要―金融実務に関連する項目を中
　　　　　心に―」金法2129号８頁以下

阿多・金法2129号　　阿多博文「改正民事執行法と弁護士実務―第三者
　　　　　からの情報取得手続の概要と影響―」金法2129号22頁以
　　　　　下

劒持・金法2132号　　劒持淳子「第三者からの情報取得手続の運用イ
　　　　　メージ」金法2132号６頁以下

前田・金法2134号　　前田亮利「差押禁止債権の範囲変更，債権執行事
　　　　　件の終了等に関する新たな運用」金法2134号52頁以下

奥田・家庭の法と裁判2020年２月号外　　奥田大助「東京地方裁判所に
　　　　　おける新たな実務運用について（１）債権執行①：財産
　　　　　開示手続の拡充・第三者からの情報取得手続制度」家庭
　　　　　の法と裁判2020年２月号外９頁以下

渡邉＝片山・家庭の法と裁判2020年２月号外　　渡邉隆浩＝片山真一
　　　　　「東京地方裁判所執行官による子の引渡しの強制執行の
　　　　　実務運用について」家庭の法と裁判2020年２月号外67頁
　　　　　以下

谷・家庭の法と裁判2020年２月号外　　谷英樹「改正民事執行法におけ
　　　　　る子の引渡し―弁護士実務の対応を中心に」家庭の法と

裁判2020年２月号外75頁以下

村井・家庭の法と裁判2020年10月号　　村井壯太郎「東京家庭裁判所に
　　　　おける子の引渡しの強制執行事件の運用について」家庭
　　　　の法と裁判2020年10月号32頁以下

鷹取・ひろば72巻９号　　鷹取信哉「債務者財産の開示制度の実行性の
　　　　向上」法律のひろば72巻９号13頁以下

鷹取・自由と正義2019年12月号　　鷹取信哉「債務者財産の開示制度の
　　　　概要と実務上の留意点」自由と正義2019年12月号17頁以
　　　　下

園尾・自由と正義1990年11月号　　園尾隆司「固定資産評価証明書の交
　　　　付申請について―新統一申請様式制定の経過と解説―」
　　　　自由と正義1990年11月号115頁以下

第1編　改正法の概要

◆ポイント◆

　民事執行法及びハーグ条約実施法が改正され，令和2年4月1日から施行された。改正法の改正項目は，次の6項目である。

1　財産開示制度の見直し・第三者からの情報取得制度の新設
2　差押禁止債権をめぐる規律に係る改正
3　債権差押命令の取消制度の新設
4　不動産競売における暴力団員の買受け防止制度の新設
5　子の引渡しの強制執行に関する規定の新設
6　ハーグ条約実施法における子の解放実施の規律に係る改正

第1　改正法の成立と施行日

1　「民事執行法及び国際的な子の奪取の民事上の側面に関する条約の実施に関する法律の一部を改正する法律」（令和元年法律2号）が令和元年（2019年）5月10日に成立し，同月17日に公布された。
2　施行日は，令和2年（2020年）4月1日である（令和元年政令189号）。なお，経過措置については，本書各該当箇所を参照されたい。
3　以下，各改正項目の概要を説明する。なお，飽くまでも概要であり，かつ，概要の把握しやすさを優先し，雑駁な表現を用いる。正確には，本書各該当箇所を参照されたい。

1

第2　財産開示制度の見直し・第三者からの情報取得制度の新設

1　財産開示制度の見直し

(1)　財産開示申立てに際して要する債務名義の範囲が拡大され，仮執行宣言付判決や執行証書（強制執行認諾文言がある公正証書をいう。）等であっても，およそ金銭債権の債務名義を有していれば，財産開示の申立てができることとされた（民執法197条１項）。

(2)　開示義務者[1]の正当な理由のない財産開示期日の不出頭，宣誓拒絶及び陳述拒絶並びに虚偽陳述についての罰則が「30万円以下の過料」から「６月以下の懲役又は50万円以下の罰金」に強化された（民執法213条１項５号，６号）。

2　第三者からの情報取得制度の新設

(1)　債務者の預貯金及び振替社債等に係る情報の取得制度の新設

　　金銭債権の債務名義（仮執行宣言付判決，執行証書等を含む。）又は一般の先取特権を有していれば，いわゆる不奏功等要件の下，裁判所を通じて，債務者の預貯金及び振替社債等について，金融機関等から情報を取得できる制度が新設された（民執法207条）。上記振替社債等とは，①株式会社証券保管振替機構（いわゆる保振機構（ほふり））が振替機関として取り扱う上場株式，振替社債，振替投資信託受益権など及び②日本銀行が振替機関として取り扱う振替国債をいう（社債株式等振替法279条）。

　　なお，預貯金及び振替社債等に係る情報の取得に際しては，後記(2)，(3)と異なり財産開示手続を経ている必要はなく，かつ，事後的には債務者に通知されるが事前には通知されず，債務者に知られずに，債務者の預貯金及び振替社債等の情報を取得し，それらを差し押さえることが可能となる。

(2)　債務者の不動産に係る情報の取得制度の新設

1　債務者が個人の場合は債務者又は法定代理人，法人の場合は代表者をいう（民執法199条１項括弧書，198条２項２号）。

金銭債権の債務名義（仮執行宣言付判決，執行証書等を含む。）又は一般の先取特権を有していれば，財産開示手続（他の債権者申立てに係る財産開示手続を含む。）を経た上で，いわゆる不奏功等要件の下，裁判所を通じて，債務者の不動産について，登記所から情報を取得できる制度が新設された（民執法205条）。債権者が選択する地域（「全国」との選択も可能）にある債務者の不動産の情報取得が可能となる。

ただし，登記所において新たなコンピュータシステム構築をする必要等があるため，実際に情報取得手続申立てができるのは，令和3年5月1日以降になる（改正法附則5条，令和2年政令358号）。

(3) 債務者の給与債権（勤務先）に係る情報の取得制度の新設

扶養義務（養育費・婚姻費用等）に係る債権又は生命身体侵害による損害賠償債権に係る債務名義（仮執行宣言付判決，執行証書等を含む。）を有していれば，財産開示手続（他の債権者申立てに係る財産開示手続を含む。）を経た上で，いわゆる不奏功等要件の下，裁判所を通じて，債務者の勤務先について，市町村又は日本年金機構等から情報を取得できる制度が新設された（民執法206条）。

第3　差押禁止債権をめぐる規律に係る改正

民執法152条は，差押禁止債権を定める。画一的な規定であり，事案によっては，差押禁止債権の範囲を拡大し，差押命令の全部又は一部を取り消す必要がある。そのため，民執法153条が差押禁止債権の範囲の変更・差押命令の取消手続を規定している。しかし，債務者は，同手続を知らなかったり，時間不足のため，同手続を利用することが少なかった。そこで，改正法は，次の見直しを行った。

(1) 債権差押命令を債務者に送達する際には，民執法153条1項又は2項によって当該差押命令の取消しの申立てをすることができる旨及びその手続の内容が教示されることとなった（民執法145条4項，民執規則133条の2。なお，どの程度準用の余地があるかは別にして，その他の財産権につき民執法167条1項，うち電子記録債権につき電子記録債権法49

条3項，民執規則150条の10第11項）。少額訴訟債権執行における差押処分及び債権仮差押命令の場合も同様である（民執法167条の5第2項，民執規則150条。民保法50条5項，民保規則41条2項。なお，どの程度準用の余地があるかは別にして，その他の財産権につき民保法50条5項，民執法167条1項，うち電子記録債権につき電子記録債権法49条3項，民保規則42条の2第2項）。

(2)　債権差押えにおいては，原則，差押命令が債務者に送達された日から1週間で取立権が発生する（民執法155条1項）が，例外として，給与債権等の差押え[2]については，差押命令が債務者に送達された日から4週間で取立権が発生するとされ，取立権発生時期が後ろ倒しにされた（同条2項）。同様に転付命令，譲渡命令等の効力が生ずる時期及び配当等実施の時期も後ろ倒しにされた（同法159条6項，161条5項。同法166条3項，民執規則145条）。少額訴訟債権執行における差押処分においても同様である（取立権発生時期につき同法167条の14第1項。転付命令，譲渡命令等につき同法167条の10。配当等実施につき同法167条の11，民執規則149条の6第2項括弧書）。

第4　債権差押命令の取消制度の新設

　債権差押えにおいて，債権者が，差押命令を得たものの，①債務者への命令の送達ができないまま放置したり，②取立届等を提出しないまま長期間放置する事案が見受けられた。そこで，改正法は，次の2つの差押命令取消制度を新設した。

(1)　債権差押命令が発令されたが，債務者に対する差押命令の送達ができない場合に，裁判所は，差押債権者に対し，相当の期間を定め，債務者の住居所その他差押命令の送達をすべき場所の申出又は公示送達の申立てをすべきことを命じ，差押債権者が同申出又は公示送達の申立てをしないときは，差押命令を取り消すことができる（民執法145条7項，8項。なお，その他の財産につき民執法167条1項，うち振替社債等につき社

2　ただし，請求債権に民執法151条の2第1項の扶養義務（養育費・婚姻費用等）に係る債権が含まれる場合を除く。

債株式等振替法280条，民執規則150条の3第8項，電子記録債権につき電子記録債権法49条3項，民執規則150条の10第11項）。なお，少額訴訟債権執行における差押処分においても同様である（民執法167条の5第2項）。

(2)　債権差押命令が発令されて取立権が発生した後又は「取立届」の届出若しくは（改正法により新設された）「支払を受けていない旨の届出」を最後にした後，2年と4週間を超えて「取立届」の届出又は「支払を受けていない旨の届出」をしない場合，裁判所は，差押命令を取り消すことができる（民執法155条5項〜8項，民執規則137条の3。なお，取立権制度の準用があり得るものがあるかは別にして，その他の財産権につき民執法167条1項，うち振替社債等につき社債株式等振替法280条，民執規則150条の5第4項，電子記録債権につき電子記録債権法49条3項，民執規則150条の15第1項）。なお，少額訴訟債権執行における差押処分においても同様である（民執法167条の14第1項，民訴規則150条）。

第5　不動産競売における暴力団員の買受け防止制度の新設

旧民執法には，不動産競売における暴力団員等による入札制限等がなかった。そのため，暴力団員等でも，競落が可能であった。これを防止する制度が新設された。制度概要は，次のとおりである。なお，不動産強制競売のほか，担保不動産競売及び不動産のいわゆる形式競売においても同様である（民執法188条，195条。なお，同法43条2項，工場抵当法14条，企業担保法50条）。

(1)　①暴力団員等（暴力団員又は暴力団員でなくなってから5年を経過しない者をいう。民執法65条の2第1号），②暴力団員等が役員である法人又は③上記①②の者の計算において入札する者は，競落できないこととされた（同法71条5号）。

(2)　手続的には，まず，競売入札に際し，入札者は，上記(1)の者に該当しない旨の陳述書等を提出する必要がある。同陳述書がなければ，入札は無効とされる（民執法65条の2）。また，同陳述書に虚偽の陳述をした者は6月以下の懲役又は50万円以下の罰金に処せられる（民執法213条

　1項3号）。

　次いで，売却許可・不許可の判断に際しては，裁判所は，原則として，最高価買受申出人が上記(1)の者に該当するか否かについて，都道府県警察に調査嘱託をし（民執法68条の4），都道府県警察から得られた回答などを踏まえ，売却の許可・不許可の判断をする。

第6　子の引渡しの強制執行に関する規定の新設

　旧民執法には，子の引渡しの強制執行に関する明文の規定がなかった。そこで，動産の引渡しの強制執行に準じて強制執行が行われ，また後記第7の旧ハーグ条約実施法の平成26年4月施行後は，同法における子の解放実施[3]の規律にも準じた強制執行が行われていた。改正法では，子の引渡しの強制執行に関する明文の規定を新設した。その規定の概要は，次のとおりである。

　(1)　子の引渡しの強制執行は，裁判所が管轄し，次の方法のいずれかにより行う（民執法174条1項）。

　　ア　裁判所が決定により執行官に子の引渡しを実施させる方法

　　イ　間接強制による方法

　(2)　上記(1)アの方法は，①間接強制の決定が確定した日から2週間を経過したとき，②間接強制を実施しても，債務者が子の監護を解く見込みがあるとは認められないとき，又は③子の急迫の危険を防止するため直ちに強制執行をする必要があるときにすることができる（民執法174条2項。旧ハーグ条約実施法の間接強制前置主義の緩和）。

　　また，上記(1)アの裁判所の決定に際しては，原則，債務者の審尋を要するが，子に急迫した危険があるときその他の審尋をすることにより強制執行の目的を達することができない事情があるときは，この限りでない（民執法174条3項）。

　(3)　執行官は，子の心身に及ぼす影響，当該場所及びその周囲の状況その

3　ハーグ条約実施法における債務者の債務は，子を常居所地国に返還する債務である。その代替執行は，①執行官が債務者による子の監護を解いて（これを講学上，解放実施とよぶ。）②返還実施者が子を常居所地国に返還する（これを講学上，返還実施と呼ぶ。）方法による。

他の事情を考慮して相当と認めるときは，債務者が占有する場所以外でも，子の引渡しを実施できる。なお，債務者以外の者が占有する場所での子の引渡しの実施には，当該占有者の同意が必要であるが，子の住居が債務者の占有する場所以外である場合において，一定の場合，裁判所は，債権者の申立てにより，当該占有者の同意に代わる決定をすることができる（民執法175条2項，3項。旧ハーグ条約実施法の解放実施場所に関する規律の見直し）。

(4)　執行官による子の引渡しの実施は，債権者[4]が出頭している必要があるが，債務者が実施場所にいなくても，実施できる（民執法175条5項，6項。旧ハーグ条約実施法の同時存在原則の不採用）。

第7　ハーグ条約実施法における子の解放実施の規律に係る改正

旧ハーグ条約実施法[5]では子の解放実施について次の原則等が採用されていたが，概要，次のとおりに改正された。

(1)　改正前の間接強制前置の原則（間接強制を経た上でなければ，子の返還の代替執行[6]はできないとする原則）について，改正後は，前記第6(2)と同様にする改正がされた（ハーグ条約実施法136条）。

また，子の返還の代替執行の決定の際の債務者の審尋についても，前

4　債権者が執行場所に出頭することができない場合において，債権者の父母などが債権者の代理人として債権者に代わって執行場所に出頭することが，当該代理人と子との関係，当該代理人の知識及び経験その他の事情に照らして子の利益の保護のために相当と認めて，裁判所が許可する債権者の当該代理人を含む。

5　正式には「国際的な子の奪取の民事上の側面に関する条約の実施に関する法律」という。

6　(1)　ハーグ条約実施法における債務者の債務は，常居所地国に子を返還する債務である。よって，その強制執行は，間接強制によるほか，第三者に子を返還させる方法，つまり代替執行の方法によるものとされる（ハーグ条約実施法134条1項）。

(2)　上記代替執行における具体的な実施行為は，①執行官において債務者による子の監護を解く行為（子の解放実施）と②その後の返還実施者による子を常居所地国に返還する行為（子の返還実施）に分けられる（ハーグ条約実施法138条1項参照）。

(3)　今回の改正のうち，上記本文(1)の改正は上記代替執行の決定（授権決定）について改正するものであり，上記本文(2)(3)は，代替執行のうち上記(2)①の子の解放実施の規律について改正するものである。

記第6(2)と同様，子に急迫した危険があるときその他の審尋をすることにより強制執行の目的を達することができない事情があるときは，審尋を要しないこととされた（ハーグ条約実施法138条2項）。

(2)　改正前の解放実施場所に関する規律（債務者以外の者が占有する場所での子の引渡しの実施には，当該占有者の同意が必要であるとの規律）について，改正後は，前記第6(3)と同様にする改正がされた（ハーグ条約実施法140条1項）。

(3)　改正前の同時存在の原則（執行官による子の解放実施は，債務者と子が同時にいる場所でなければ，実施できないとする原則）について，改正後は，前記第6(4)と同様にする改正がされた（ハーグ条約実施法140条1項）。

（待場　豊）

第2編　債務者の財産状況の調査

第1章　財産開示手続の改正

◖ポイント◗

1　財産開示手続は，強制執行の実効性を確保する目的で平成15年の民事執行法改正により創設されたが，実効性が十分でなく必ずしも活用されてこなかった。そこで，財産開示手続の**申立権者の範囲を拡大**するとともに，開示義務者（債務者等）の手続違反に対する**罰則を強化**することにより財産開示手続の実効性の強化が図られた。

2　財産開示手続の申立てに必要な債務名義について，仮執行宣言付判決，執行証書，支払督促などが除外されていたが，改正法では**いずれの種類の債務名義も含まれる**ことになり申立権者の範囲が拡大された。そのため，公正証書（執行証書）により養育費の支払を取り決めた者も支払義務者に対し財産開示制度を利用できるようになった。

3　債務者が出頭や陳述を拒む場合や虚偽の陳述をした場合の制裁は30万円以下の過料という軽微な制裁であったが，改正により6月以下の懲役又は50万円以下の罰金という**刑事罰**に強化された。

4　財産開示手続申立要件の一つである強制執行の不奏功等の要件（民執法197条1項各号）の緩和や再実施制限（同法197条3項）の見直しは見送られた。

第1　改正の経緯

1(1)　金銭債権に基づき強制執行をするためには，対象となる財産を特定し

て執行の申立てをする必要がある。そのため，債務者が一定の資産を保有する場合であっても，債権者が債務者の財産情報を把握できなければ強制執行の申立てができず，勝訴判決を得た場合であっても権利の実現を図ることができなかった。債務者の財産を把握できないことが原因で，判決等の債務名義を有する債権者が権利を実現できないことは債務名義の実効性を失わせることになるため，債務者の財産情報を債権者が取得できる制度の必要性が強く認識されるようになった。

(2)　そこで，平成15年の改正において，勝訴判決等を得た債権者が債務者の財産情報を取得し権利実現の実効性を向上させることを目的として財産開示手続（民執法第4章）が創設され，強制執行（同法第2章），担保権の実行としての競売（同法第3章）とともに民事執行手続の一つと位置付けられた。

(3)　しかし，旧民執法における財産開示手続は，罰則が30万円の過料という秩序罰に過ぎないため，開示義務者の不出頭などの手続の不順守が少

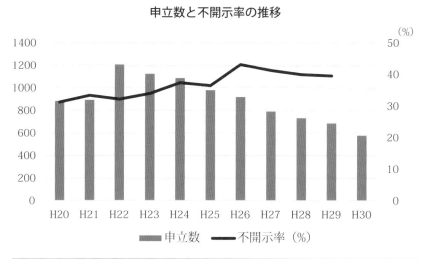

申立数と不開示率の推移

	H20	H21	H22	H23	H24	H25	H26	H27	H28	H29	H30
申立数	884	893	1207	1124	1086	979	919	791	732	686	578
不開示率(%)	31.2	33.3	32.1	33.9	37.3	36.4	43.1	41.2	39.9	39.5	－

（出典）司法統計などの各種資料から作成

なくなく，不開示事件が40％に上るなど実効性が十分でないと指摘されていた[1]。申立件数も平成22年は1207件であったが近年は減少の一途をたどり平成30年は578件[2]と直近8年で半減しており，財産開示手続が十分に活用されているとはいえない状況にあった。

(4)　そこで，財産開示手続の申立権者の範囲を拡大するとともに（民執法197条1項柱書），財産開示手続違背に対する制裁を強化し，6月以下の懲役又は50万円以下の罰金という刑事罰が導入された（同法213条1項5号・6号）。

他方で，財産開示手続申立要件の一つである強制執行の不奏功等の要件（民執法197条1項各号）の緩和や再実施制限（同法197条3項）の見直しについては改正が見送られた。

第2　改正の内容

1　手続を利用することができる者の範囲の拡大

(1)　改正の概要

財産開示手続の申立てに必要とされる債務名義の種類が拡大され，金銭債権についての債務名義であれば，いずれの種類の債務名義であっても財産開示の申立てをすることができるようになった。

すなわち，旧法では，金銭債務についての強制執行に必要な債務名義のうち，①仮執行宣言付きの判決・損害賠償命令・届出債権支払命令・支払督促，②執行証書，③確定判決と同一の効力を有する支払督促については，財産開示手続の申立てができないとされていたが（旧民執法197条1項柱書の括弧書），改正によりいずれの債務名義でも申立てが可能となった。

(2)　改正の経緯

旧法において債務名義の一部が除外された理由は，裁判所の暫定的な判断である仮執行宣言や，誤った執行がなされたとしても原状回復が容易であることを理由に金銭債権に限り債務名義として認められている執行証書

1　法務省民事局参事官室「民事執行法の改正に関する中間試案に関する補足説明」（平成29年9月8日）3頁，http://www.moj.go.jp/content/001237418.pdf
2　平成30年度司法統計

や支払督促に基づき情報開示がなされてしまうと，後に権利の存在が否定された場合に情報未開示の状態に回復することが困難であることなどであった。

　しかし，これらの除外された債務名義であっても債務名義の性質としては確定判決等と同様であり，債務名義に基づいて強制執行を申し立てることができるにもかかわらず，強制執行の準備行為である財産開示手続の場面では確定判決等と差をつけて財産開示手続の申立てを制限する合理性がない。また，程度や蓋然性に違いがあるとしても，確定判決に基づく差押えにおいても事後に債権の不存在が明らかになることもあり，そのような場合にいったん開示された情報の原状回復が困難であることは他の債務名義と同様である。

　そもそも，このような場合に債務者が財産開示手続の進行を阻止する手段として控訴の提起や請求異議の訴えの提起に加え，執行停止の裁判を申し立てることが考えられるため（民訴法403条，民執法36条，同法39条，同法203条等）[3]，債務者の権利が不当に侵害されるわけではない。さらに，平成15年改正の際には一部の悪質な貸金業者が債務者から取得した白紙委任状に基づき執行証書を作成するなど問題がある執行証書の作成嘱託がなされ財産開示手続が濫用されることを懸念し，執行証書は財産開示手続申立要件から除外されたが，平成18年の貸金業法の改正により貸金業者が債務者等から執行証書の作成に関する委任状の取得が禁止されたことなどにより弊害への懸念がなくなった。また，離婚した夫婦間において養育費の支払を確実にする目的で執行証書の活用が推奨されるなど執行証書の活用が社会的に求められるという社会状況の変化もみられる。

　このように財産開示手続に必要とされる債務名義を限定することの不合理性や社会状況の変化を踏まえ，財産開示に必要な債務名義は拡大され，金銭債権についての債務名義であれば，いずれの種類の債務名義であっても財産開示の申立てをすることができるようになった[4]。

3　内野ほか・Q&A：24頁
4　金銭の支払を命ずる仮処分命令の執行を含め保全執行については債権者に対して保全命令が送達された日から2週間を経過したときは保全執行をすることができない（民保法43条2項）が，2週間以内に執行の着手があれば足り，執行の完了までは要しない

2　罰則の強化

(1)　改正の概要

　　旧法では，開示義務者が正当な理由なく，執行裁判所の呼出しを受けた財産開示期日に出頭しない場合（出頭拒否）や当該財産開示期日において宣誓を拒んだ場合（宣誓拒否），財産開示期日において宣誓した開示義務者が正当な理由なく陳述すべき事項について陳述しない場合（陳述拒否）や虚偽の陳述をした場合（虚偽陳述）には30万円以下の過料に処するとしていた（旧民執法206条1項）。

　　今回の改正により罰則は強化され，正当な理由がなく手続違背があった場合には，6か月以下の懲役又は50万円以下の罰金という刑事罰が課されることとなった（民執法213条1項5号・6号，旧民執法206条1項は削除）[5]。

　と解されている。仮処分命令に基づく財産開示手続においては，財産開示の申立てにより執行の着手があったものと解すべきであるため，債権者に対して保全命令が送達された日から2週間以内に財産開示手続の申立てがなされれば執行の着手があったと解される（山本ほか・論点解説：21頁）。
　　また，定期金の支払を命ずる仮処分について，財産開示手続とその後の強制執行の期間制限（民保法43条2項）との関係が問題となる。財産開示の結果判明した財産に対して仮処分命令による差押えをする場合，当然2週間以上経過することとなるため，改めて仮処分命令を取り直す必要があるのか議論がある。この点について，「仮処分命令の送達の日より後に支払期限が到来するものについては，送達の日からではなく，当該定期金の支払期限から同項の期間を起算するもの」と解されているため（最一小決平成17年1月20日民集216号57頁），債権者は改めて仮処分の申立てをしなくても，その後に支払期限が到来するものについて，財産開示手続により判明した債務者の財産に対する強制執行の申立てをすることができると考えられている（内野ほか・Q&A：28頁）。
5　過料であれば，その手続は裁判所が職権により開始し，過料決定と同時に執行力が生じ，検察官の執行命令により執行された。しかし，刑事罰になったため，債権者が警察等に告発し，刑事事件として捜査・起訴等がされる必要がある点に注意を要する。そのため，債権者や裁判所の職員が捜査機関に告訴することにより刑事事件としての捜査が開始されることがあると考えられる（内野ほか・Q&A：40頁）。なお，刑訴法239条2項によれば官吏又は公吏はその職務を行うことにより犯罪があると思料するときは，告発をしなければならないとされるので，裁判所職員も告発義務を負う場合もあると考えられるが（内野ほか・Q&A：40頁），裁判官は刑事裁判所を構成することがあるため，「官吏又は公吏」に含まれないとの議論がある。
　　なお，令和2（2020）年10月20日，裁判所から財産開示手続を受けたのに出頭しなかった男性が民事執行法違反（陳述等拒絶）の疑いで書類送検されたという報道がなされた。民執法改正後に検挙された初めての事例である。

⑵　改正の経緯

　　平成15年の法改正により財産開示手続が創設された際も，実効性の確保
の観点から刑事罰を科すべきとの意見があったが，悪質な貸金業者による
過酷な取立て手段に用いられることの懸念などから採用されず過料を科す
にとどまった。

　　しかし，財産開示手続において開示義務者の不出頭や宣誓拒否，虚偽陳
述などの手続の不順守が少なくなく，その原因が手続違背の罰則が30万円
の過料という行政処分（秩序罰）に過ぎないことにあると考えられ，財産
開示制度の実効性を確保するために罰則の強化が求められた。

　　また，　1 年以下の懲役又は100万円以下の罰金が課された公示書等損壊
罪（旧民執法204条）や，　6 月以下の懲役又は50万円以下の罰金に処する
陳述等拒絶の罪（旧民執法205条）との均衡を欠くことも指摘された。

　　さらに，平成18年の貸金業法の改正により，貸金業者の取立行為に対す
る罰則が強化されたことにより，悪質な貸金業者による過酷な取立手段に
用いられることの懸念が低下した。

　　このような理由により，財産開示の実効性を確保することを目的として
懲役刑を含む刑事罰が設けられた。

3　改正が見送られた事項

⑴　強制執行の不奏功等要件の緩和

　　財産開示手続の実施要件として，強制執行の不奏功等が必要とされてい
ること（民執法197条 1 項 1 号・ 2 号）を廃止や緩和することが検討され
たが，改正は見送られた[6]。

⑵　再実施制限の見直し

　　財産開示手続実施後 3 年間は原則として再実施が許されないとの制限
（民執法197条 3 項）について，この期間を短縮すべきとの議論があったが，

6　改正過程においてこの要件を満たすことが必ずしも容易ではないため緩和を求める
意見もあったが，現在の裁判実務において，債務者の住居所在地の不動産登記事項証明
書の提出等により債務者名義の不動産が見つからないことなどが確認できればそれで足
りるとされている例などが多く，疎明が困難とまではいえないとされた。また，先に実
施した強制執行の不奏功等の要件を満たさないことを理由として申立てが却下された事
例はほとんどないとされる（内野ほか・Q&A：45頁）。

債務者への過度の負担となるなどの指摘もあり，意見の集約に至らず見直しは見送られた。

⑶　開示範囲の見直し

　財産開示手続における開示範囲について，過去に処分された財産に対する情報開示を義務付けることも改正過程において議論がなされた。しかし，債権者に対し強制執行の対象となりうる財産状況を把握させるという制度目的を超えるおそれがあるなどの理由により開示範囲は変更されなかった。

第3　財産開示手続の申立て

1　申立ての単位

　申立ては債務者ごとに行う。その理由は，財産開示期日における手続は非公開で行われ，事件記録の閲覧謄写等の手続も債務者ごとに行われるためである[7]。

2　管轄

　財産開示手続は，債務者[8]の普通裁判籍の所在地を管轄する地方裁判所が執行裁判所として管轄する（民執法196条）。

　なお，従来，財産開示手続は債務者（開示義務者）が財産開示期日に出頭して財産を開示する制度であるから，債務者（開示義務者）の住所，居所その他送達すべき場所が分からない場合は，民訴法110条ないし113条の公示送達の規定は適用されず，財産開示手続を利用できないとされてきた[9]。その理由は，公示送達の方法によって開示義務者を呼び出しても，開示義務者の

7　相澤＝塚原・執行実務4版債権執行編（下）：334頁

8　196条は単に「債務者」と規定し，197条3項は「債務者（債務者に法定代理人がある場合にあつては当該法定代理人，債務者が法人である場合にあつてはその代表者。第一号において同じ。）」としているため，例えば，法人債務者の本店所在地が大阪市で，その代表者の住所が神戸市の場合，第一次的には大阪地裁が管轄裁判所になるが，法人の実体がないときは，代表者の住所地を管轄する神戸地裁が管轄裁判所になると考えられる（民執法20条，民訴法4条4項）。

9　相澤＝塚原・執行実務4版債権執行編（下）：334頁

出頭が見込まれず，手続を実施する意義がないとの考え方に基づくものと考えられている[10]。

　しかし，改正法において第三者からの情報取得手続が導入されたため，財産開示手続実施により不動産や給与債権に関する情報を取得することが期待できる。公示送達規定の適用が否定されれば，財産開示手続の実施が要件とされている不動産情報取得手続（民執法205条），勤務先情報取得手続（同法206条）が債務者（開示義務者）の住所不明の場合に実施できず，第三者からの情報取得が不可能となる[11]。

　よって，今後は公示送達規定の適用は認める扱いとなる。

3　申立てをすることができる債権者

　財産開示手続の申立てに必要とされる債務名義の種類が拡大され，金銭債権についての債務名義であれば，いずれの種類の債務名義を有する債権者であっても財産開示の申立てをすることができるようになった（民執法197条1項）。

　また，債務者の財産について一般の先取特権を有することを証する文書を提出した債権者も申立てをすることができる（民執法197条2項）。

4　財産開示手続実施決定の要件

(1)　強制執行の開始要件等

　財産開示手続を行うためには，執行開始要件を備えなければならない（民執法197条1項ただし書）。すなわち，債務名義又は確定により債務名義となるべき裁判の正本又は謄本があらかじめ又は同時に債務者に送達されていることや（同法29条前段），請求が確定期限の到来に係る場合においてはその期限の到来後であること（同法30条1項）等が必要である。

(2)　強制執行の不奏功等の要件

　財産開示手続は，債務者に対してプライバシーに属する財産状況の開示を強制するものであるから，この手続を行う必要性が高い場合にはじめて実施されることが相当である。そこで法は以下の要件のいずれかを満たし

10　内野ほか・Q&A：39頁
11　山本ほか・論点解説：31頁

た場合にのみ財産開示手続を認める。

①強制執行又は担保権の実行における配当等の手続（申立ての日より六月以上前に終了したものを除く。）において，申立人が当該金銭債権の完全な弁済を得ることができなかったこと（民執法197条1項1号）
②知れている財産に対する強制執行を実施しても，申立人が当該金銭債権の完全な弁済を得られないことの疎明があったこと（同項2号）

　1号要件では，強制執行等の手続に加えて「配当等の手続」が行われたことが求められる。その趣旨は，預金口座が存在しないことを承知のうえで債権差押えの申立てをした場合など無意味な執行申立てを行うことにより不奏功等の要件が充足することを避けることにある[12]。

　「配当等の手続」とは，配当又は弁済金の交付に限られる見解（限定説）と，動産執行における執行不能や不動産執行における無剰余取消し，滅失や売却困難等による取消しの場合も含まれるとする見解（無限定説）があるが，裁判所実務では限定説を前提とした運用がなされている[13]。

　2号要件では，実際に強制執行等を実施する必要はないが，申立人が債権者として通常行うべき調査を行い，その結果判明した財産に対して強制執行等を実施しても債権の完全な満足が得られないことを疎明することが求められる。疎明資料としては，不動産登記事項証明書，該当する所有者が見当たらないという記載のある登記事項証明書申請書，公課証明書，民間調査会社等の不動産評価書，第三債務者の陳述書，財産調査報告書などがある[14]。

　財産調査結果報告書[15]の書式には個人用と法人用があり，債務名義に基づく申立の場合は巻末書式〔11〕〔12〕，先取特権に基づく申立ての場合は

12　相澤＝塚原・執行実務4版債権執行編（下）：336頁
13　相澤＝塚原・執行実務4版債権執行編（下）：336頁
14　相澤＝塚原・執行実務4版債権執行編（下）：337頁
15　従前，大阪地裁14民事部HPには「財産調査結果報告書」と「知れたる財産に関する調査報告書」の書式が掲載されていた時期があったが後者の書式は廃止されたため前者を用いる必要がある。令和3（2021）年3月現在，後者に関する情報も検索サイトで検索可能な状態にあるため注意が必要である。

巻末書式〔17〕〔18〕である[16]。

(3) 財産開示手続の再実施制限

　債務者が申立ての日前３年以内に財産開示期日においてその財産について陳述をしたものであるときは，原則として財産開示手続を実施する旨の決定をすることができない（民執法197条３項本文）。債務者が財産開示期日後に新たに財産を取得したときなどに限り，例外的に手続の再実施をすることができる（同項ただし書き）。

　再実施が制限される趣旨は，財産開示手続の実施に伴う債務者の負担を軽減することにある。他方，債権者は既に実施された開示手続記録を閲覧して債務者の財産状況を取得できることにより調整が図られている。

　なお，改正時の議論において，３年間の制限期間について短縮すべきとの意見があった。しかし，再実施期間を短縮するとそれにともなう債務者の負担が小さくないなどの指摘があり，再実施期間を短縮する改正は見送られた。

　財産開示申立段階では，債務者が過去３年間に財産の開示をしていないことの明確な主張立証は不要であり，債権者が開示事実を知らない旨の主張で足りる[17]。再実施制限規定に該当することが明らかになった場合には，申立人が，債務者が財産開示期日において一部の財産を開示しなかったこ

16　財産調査結果報告書１−２アの場合の疎明資料は，財産開示期日実施証明書ではなく，財産開示期日調書の写し及び財産開示手続実施決定の写しでもよい。

　財産調査結果報告書記載の１−２ア〜ウ及び１−３に該当する場合は，原則として，民執法197条１項２号，２項２号の疎明があったと評価する（「これで記入は終了です」）との考え方による書式になっている。その理由は３年以内の財産開示の再実施を原則禁止する民執法197条３項の趣旨を踏まえ，新判明財産がないのであれば民執法197条１項２号，２項２号の要件を満たしている蓋然性が肯定できるからである。もっとも，財産開示期日に債務者が出頭しているときは，財産開示期日実施証明書では足りず，期日調書（写し）の提出を求められており，何らかの財産開示がなされている可能性がある。その結果，例外的に民執法197条１項２号，２項２号の追加疎明資料が求められることがある。

　また，民執法197条１項２号を主張・疎明し，かつ，同条３項要件については３年以内の財産開示期日実施有無を知らないとする場合（申立書表書き記載２の「☑知らない」の場合）は，財産調査結果報告書記載の１−１の「いいえ」にチェックして２以下を記入する。

17　相澤＝塚原・執行実務４版債権執行編（下）：338頁

となど民執法197条3項ただし書に該当する事実を主張立証する必要がある。

　なお，ある債権者の申立てに基づき実施決定がされた後，財産開示期日が終了するまでの間に他の債権者から申立てがあった場合，民執法197条3項には該当しない[18]。

⑷　破産手続，民事再生手続等との関係

　財産開示手続は，債務者について破産手続開始決定等の執行障害事由がある場合には，実施することができない（破産法42条6項，民再法39条1項，会更法50条1項，会社法515条1項）[19]。

5　申立書

　申立ては，書面により（民執規則1条），当事者の氏名又は名称及び住所，代理人の氏名及び住所並びに申立ての理由を記載して行う（同規則182条1項）。申立ての理由は，申立てを理由付ける事実を具体的に記載し，かつ，立証を要する事由ごとに証拠を記載しなければならない（同規則182条2項・27条の2第2項）。

　財産開示手続申立書の表書きの書式（債務名義に基づく申立て）は巻末書式〔1〕のとおりである。一般の先取特権に基づく財産開示の申立書式は巻末書式〔14〕である。なお，大阪地裁14民事部のウェブサイトには記載例も掲載されている[20]。

　実務上は財産開示手続申立書に加え，当事者目録，請求債権目録（又は担保権・被担保債権・請求債権目録）を一体として申立書とする取り扱いがなされている[21]。各目録の記載はおおむね債権差押命令申立書と同様であるが，当事者目録において「債権者」が「申立人」となること，第三債務者がないこと，遅延損害金につき申立日までに発生したものに限定しなくてよいこと，手続費用を計上しないこと（民執法203条が42条2項を不準用）が異な

18　相澤＝塚原・執行実務4版債権執行編（下）：338頁
19　伊藤ほか・条解民執法：1739頁
20　https://www.courts.go.jp/osaka/vc-files/osaka/2020/0200401_14minn_kaitei_01/01_tennpufairu/01_07.p.pdf
21　相澤＝塚原・執行実務4版債権執行編（下）：339頁

る[22]。

　当事者目録の書式は債務名義に基づく場合が巻末書式〔2〕のとおりであり，先取特権に基づく場合の書式が巻末書式〔15〕のとおりである。当事者目録は写しを一部提出する必要がある。

　債務名義上の氏名又は名称及び住所について更正決定があるときは，その正本及び債務者に対する送達証明書を提出する必要がある。また，債務名義上の氏名又は名称及び住所について，変更又は移転がある場合は，当事者目録に，変更又は移転後の氏名又は名称及び住所を記載し，債務名義上の氏名又は名称及び住所も併記する必要がある。この場合には，つながりを証明する書類として住民票，戸籍謄本，商業登記事項証明書等の公文書を添付する必要がある。

　債務名義に基づく請求の場合における請求債権目録の書式については一般債権の場合のほか，養育費，婚姻費用の場合など8種類の書式がある（巻末書式〔3〕－〔10〕）。先取特権に基づく申立ての場合における担保権・被担保債権・請求債権目録の書式は巻末書式〔16〕のとおりである。

6　申立書の添付書類等

⑴　共通のもの

　ア　当事者が法人の場合

　　商業登記事項証明書，代表者事項証明書等が必要である。認証日（法務局の証明書作成日）から3か月以内（申立人が法人の場合）又は1か月以内（債務者が法人の場合）の資格証明書が必要である[23]。

　イ　代理人による申立ての場合

　　弁護士が代理人となる場合は委任状，許可代理人が代理人となる場合は代理人許可申立書（500円[24]収入印紙貼付），委任状，代理人と本人との関係を称する書面（社員証明書等）が必要である。

　ウ　債務者が個人の場合

22　相澤＝塚原・執行実務4版債権執行編（下）：339頁
23　https://www.courts.go.jp/osaka/saiban/tetuzuki_minji14/zaisankaizi_mousitate/index.html
24　民訴費用等法別表第一の17項

債務者の転居の有無にかかわらず，認証日から1か月以内の債務者の住民票を提出する必要がある。

エ　上記のほか，債務名義上の申立人・債務者の氏名又は名称及び住所について変更又は移転がある場合

住民票，戸籍の附票，履歴事項証明書等，閉鎖商業登記事項証明書等（いずれも認証日から1か月以内のもの）が必要である。

(2)　債務名義に基づく申立ての場合[25]

①　執行力のある債務名義の正本

②　①の送達証明書

③　債務名義が更正されている場合は更正決定正本

④　③の送達証明書

⑤　③の更正決定が主文の更正の場合はその確定証明書

⑥　家事審判正本の場合はその確定証明書

⑦　その他執行開始要件を備えたことの証明を要する場合にはその証明文書

(3)　一般の先取特権に基づく申立ての場合

一般の先取特権を有することの証明文書

7　申立手数料及び予納郵便切手

申立手数料（収入印紙）は2000円である（民訴費用法3条1項別表第1,11の2イ）。申立ては債務者ごとに行うため，一人の債権者が複数の債務名義に基づいて申立てをする場合も，債権差押命令申立てと異なり1個の申立てとなる。債権者が数人の場合，債務名義が1通であっても数個の申立てとなる。

予納郵便切手は，東京地裁では6000円（500円×8枚・100円×10枚・84円×5枚・50円×4枚・20円×10枚・10円×10枚・5円×10枚・2円×10枚・1円×10枚）であり[26]，大阪地裁では7220円（500・100・84・20・10・5・

---

[25]　大阪地裁14民事部HPには「債務名義に基づく財産開示の申立てに必要な書類等一覧」が掲載されている。https://www.courts.go.jp/osaka/vc-files/osaka/2020/0200401_14minn_kaitei_01/01_tennpufairu/01_02.p.pdf

[26]　https://www.courts.go.jp/tokyo/saiban/minzi_section21/zaisankaizi/index.html

予納郵便切手一覧

	東京地裁	大阪地裁
合計	6000円分	7220円分
500円切手	8枚	10枚
100円切手	10枚	10枚
84円切手	5枚	10枚
50円切手	4枚	10枚
20円切手	10枚	10枚
10円切手	10枚	10枚
5円切手	10枚	10枚
1円切手	10枚	10枚

2・1円を各10枚）である[27]。

第4　実施決定（又は却下決定）の告知及び不服申立て

1　財産開示の実施決定

　財産開示手続開始要件が認められるとき，執行裁判所は財産開示手続を実施する決定を行い（民執法197条1項），財産開示手続が開始される。

2　実施決定の送達及び公示送達規定適用の可否

　実施決定は債務者に送達される（民執法197条4項）。

　なお，財産開示手続は債務者が財産開示期日に出頭して財産を開示する制度であることを理由に，従来は債務者の住所，居所その他送達すべき場所が分からない場合に公示送達（民訴法110条ないし113条）によることはできないと考えられてきた[28]。

　しかし，前述のように公示送達規定の適用が否定されれば，財産開示手続の実施が要件とされている不動産情報取得手続（民執法205条），勤務先情報取得手続（同法206条）が債務者（開示義務者）の住所不明の場合に実施で

27　https://www.courts.go.jp/osaka/vc-files/osaka/2020/0200401_14minn_kaitei_01/01_tennpufairu/01_02.p.pdf

28　相澤＝塚原・執行実務4版債権執行編（下）：341頁

きないことになり，第三者からの情報取得が不可能となるため[29]，今後は公示送達規定の適用は認める扱いとなる。

3　不服申立て

　財産開示実施決定に対し，債務者は実施決定の告知を受けた日から1週間の不変期間内に執行抗告を申し立てることができる（民執法197条5項，10条）。

　他方，財産開示の申立てを却下する裁判に対しては，申立人は執行抗告を申し立てることができる（民執法197条5項）。

　実施決定は確定しなければ効力を有しない（民執法197条6項）。財産開示手続実施決定は債務者の財産的プライバシーを開示させる性質を有するため，未確定の段階で裁判の効力を生じさせると回復不能な結果を生じさせることになるからである[30]。

第5　財産開示手続期日における手続

1　財産開示期日の指定

　財産開示手続の実施決定が確定すると，執行裁判所は財産開示期日（民執法198条1項）及び財産目録提出期限（民執規則183条1項）を指定する。通例，財産開示期日は実施決定確定の日から1か月後，財産目録提出期限は期日の10日前を目安に指定される[31]。

　開示義務者は，指定された期限までに執行裁判所に財産目録を提出しなければならない（民執規則183条3項）。

2　陳述義務

　執行裁判所から呼び出しを受けた開示義務者は，財産開示期日に出頭し，債務者の財産について陳述しなければならない（民執法199条1項）。その際，開示義務者の宣誓が必要であるため（同法199条7項後段・民訴法201条1

29　山本ほか・論点解説：31頁
30　伊藤ほか・条解民執法：1743頁
31　相澤＝塚原・執行実務4版債権執行編（下）：345頁

項），出頭及び陳述は代理人に代えることはできない。法人の場合でも，常に代表者が出頭し，代表者自身が陳述する義務を負う。

　開示義務者が不出頭の場合，執行裁判所は続行期日を指定することも，手続の実施不能により財産開示手続を終了させることもできる[32]。申立人が不出頭の場合は，執行裁判所は財産開示手続を実施することができる（民執法199条 5 項）。

3　開示義務者に対する質問

　執行裁判所は開示義務者に質問することができる（民執法199条 3 項）。申立人は，財産開示期日に出頭し，債務者の財産の状況を明らかにするため，執行裁判所の許可を得て開示義務者に対し質問を発することができる（同法199条 4 項）。もっとも，開示義務者が陳述しなければならない債務者財産の範囲は原則として債務者の積極財産であり，これに関連性のない質問や一般的探索的質問は許されない[33]。

4　記録の閲覧謄写権

　財産開示事件の記録中，財産開示期日に関する部分については申立人のほか，債務者に対する金銭債権について執行力のある債務名義の正本を有する債権者，債務者の財産について一般の先取特権を有することを証する文書を提出した債権者，債務者又は開示義務者に記録の閲覧謄写等の請求権が認められる（民執法201条）。

　この点，改正前は申立てに必要な債務名義が制限されていたが，改正によりいずれの債務名義であっても申立てが可能になったため（民執法197条 1 項），閲覧請求等についても債務名義の種類による制限がなくなった。

　なお，財産開示手続が終了した後に閲覧等を請求する場合は， 1 件につき150円の収入印紙が必要である（民訴費用法 7 条別表 2 ）。

32　伊藤ほか・条解民執法：1748頁
33　相澤＝塚原・執行実務 4 版債権執行編（下）：347頁

第 6　罰則

　開示義務者が正当な理由[34]なく，執行裁判所の呼出しを受けた財産開示期日に出頭しない場合（出頭拒否）や当該財産開示期日において宣誓を拒んだ場合（宣誓拒否），財産開示期日において宣誓した開示義務者が正当な理由[35]なく陳述すべき事項について陳述しない場合（陳述拒否）や虚偽の陳述をした場合（虚偽陳述），6か月以下の懲役又は50万円以下の罰金に処される（民執法213条 1 項 5 号・ 6 号）。

（北野　隆志）

---

[34]　「正当な理由」の有無は，個別具体的な事案に応じた裁判所の判断に委ねられるが，開示義務者が出頭期日に出頭することができない程度の重い病気である場合や，交通機関の故障により期日に出頭することができなかった場合には「正当の理由」の有無が問題となり得るとされる（内野ほか・Q&A：35頁）。また，公示送達の方法により呼び出された債務者が不出頭の場合にも個別具体的に判断されることとなる（内野ほか・Q&A：39頁）。

[35]　開示義務者が債務者の財産について容易に調査することができたにもかかわらずその調査をせずに財産開示に臨んだため財産の有無や所在場所等について十分な陳述をすることができなかったときは「正当な理由」があるとは認められないとの考え方があり得るとされる（内野ほか・Q&A：35頁）。他方，債務者が自己の犯罪に関わることを理由として陳述を拒んだ場合は，個別具体的な事案における事実と証拠に基づいて「正当な理由」の有無が判断されることとなるとされる（内野ほか・Q&A：37頁）。このような場合，開示義務者がどこまで調査したか，調査の容易性の程度等により正当理由の有無が判断されると考えられる（山本ほか・論点解説：23頁）。

第2章　第三者からの情報取得手続の新設

第1節　概要

◖◖ポイント◗◗
1　債務者財産の開示の実効性を図るため，登記所から債務者の不動産
　　に係る情報（民執法205条），市町村等から債務者の給与債権に係る情
　　報（民執法206条），銀行等から債務者の預貯金債権等に係る情報を取
　　得する手続（第三者からの情報取得手続）が新設された。
2　弁護士が金銭債権の執行をしようとする場合，民事執行法に基づく
　　第三者からの情報取得手続を選択するか，弁護士法23条の2に基づく
　　照会（弁護士会照会）を選択するか，検討することが必要である。

第1　改正の趣旨

1　金銭債権について勝訴判決等の債務名義を得たとしても，債務者から
　　任意の履行が得られない場合，債権者としては強制執行によって債務名
　　義の実現を図ることになる。債権者として強制執行を申し立てようとす
　　れば，債権者自らが差押えの対象となる財産を特定しなければならな
　　い。しかし，債権者は，債務者の財産に関する十分な情報を有していな
　　いことが多く，強制執行の申立て自体を見送らざるを得なかったり，あ
　　るいは，強制執行の申立てはしたけれども結局は回収が図れなかった
　　（いわゆる空振りに終わった）という事態が生じることになる。このこ
　　とは仕方がないことであって，何らの対応方法もないということになれ
　　ば，いくら費用と時間をかけて裁判で勝ったとしても，逃げ得を許すこ
　　ととなり，裁判制度を設けた意味がないことになってしまう。
　　　この問題を解決し，権利実現の実効性を高めるという観点から平成15
　　年の民事執行法改正により「財産開示手続」が導入され，さらに今回の
　　民事執行法改正によって，「財産開示手続」の充実が図られた。これは

債務者自身からの情報取得手続を充実させたものである。

2　これに対して，今回新設された第三者からの情報取得手続は，登記所，市町村等，銀行等の第三者から情報取得する手続を新たに設けることにより，民事執行の実効性を高めようとするものである。

　　債務名義の実現を図ろうとする債権者としては，一般的には，債務者の自宅や本社，その他債務者名義の不動産がないか，債務者が取引に使っている口座や給与等が振り込まれている銀行口座がないか，給与債権や売掛金がないか等を探索することになる。それら差押えに適した財産があれば，速やかに民事執行を申し立てることになるが，判決などで支払い義務が確定しているのに任意の履行をしないという債務者の場合，自宅は既に他人名義になっていて差押えができない，仮に債務者名義であっても多額の抵当権が設定されていて差押えをしても回収が見込めないというケースが存在している。また，債務者名義の預金口座が判明したとしても，預金が引き出されていてごくわずかな残高しかなかったり，銀行借入れがあって相殺予定であるなどというケースも存在している。また，勤務先についても，公務員や大手企業のサラリーマンであれば給与債権の差押えは大きな効果を発揮するが，債務者自身が商店主であったり，会社であっても個人企業に近い会社では「給与債権」として存在しているのか，「給与債権」があったとしても給与債権額についても仮装されるなどして事実がわからないというケースが存在している。売掛金についても，その存否についても，その金額についても隠蔽や仮装されるケースは存在している。

　　それらの問題点を考えれば，債務者自らの財産開示のみならず，登記所や市町村等，銀行等の第三者からそれぞれが扱う債務者財産の有無が情報提供されれば，債務名義を取得した債権者の強制執行は実効性を高めることになる。ただし，いくら民事執行のためとはいえ，銀行預金の有無や勤務先情報等はセンシティブな個人情報でもあり，むやみに開示されることは個人情報の適切な保護という観点からも望ましくない。それらの点を総合勘案し，今回の法改正において，執行力のある債務名義の正本を有する金銭債権の債権者が強制執行等をしたけれどもなお完全な弁済を受けられなかった等の場合に，裁判所が，登記所や市町村等，

銀行等の第三者に対し，それぞれ債務者の不動産に係る情報や，債務者の給与債権に係る情報，債務者の預貯金債権等に係る情報の提供を命ずることができることになった（第三者からの情報取得手続の具体的な要件については別稿を参照）。

第2　弁護士法23条の2の照会

1　弁護士法23条の2は，「1　弁護士は，受任している事件について，所属弁護士会に対し，公務所又は公私の団体に照会して必要な事項の報告を求めることを申し出ることができる。申出があった場合において，当該弁護士会は，その申出が適当でないと認めるときは，これを拒絶することができる。　2　弁護士会は，前項の規定による申出に基き，公務所又は公私の団体に照会して必要な事項の報告を求めることができる。」と規定している。

　弁護士会照会の趣旨については，「弁護士法23条の2第2項に基づく照会（以下「23条照会」という。）の制度は，弁護士の職務の公共性に鑑み，公務所のみならず広く公私の団体に対して広範な事項の報告を求めることができるものとして設けられた」もの（最高裁平成30年12月21日判決）であり，「23条照会を受けた公務所又は公私の団体は，正当な理由がない限り，照会された事項について報告すべきものと解される」（最高裁平成28年10月18日判決）とされている。ここでは，23条照会を受けた公務所又は公私の団体は，正当な理由がない限り報告義務を負う（公法上の報告義務を負う。）とされているが，この義務については，「専ら当該相手方による任意の履行を期待するほかはないといえる」（最高裁平成30年12月21日判決）とされている。また，23条照会を受けた公務所又は公私の団体は，報告をしないことについて正当な理由があるときは，全部又は一部につき報告を拒絶することが許されるし，むしろ，拒絶することが正当とされる場合もないわけではない（正当な理由の存否の判断は，照会事項ごとに，報告することによって生ずる不利益と，報告を拒絶することによって犠牲となる権利を実現する利益との比較衡量により決せられることになるので，照会先としてはこの点の比較衡量をすべき義務があることになる。）。

2　ところで，弁護士会照会制度は，各弁護士会において，検討や審査体制の整備がなされ，また，審査基準や留意点等が整理され，所属弁護士からの照会申し出に対して，「照会の必要性と相当性」が厳密に，かつ，適切に審査されるようになってきている。そのような体制整備を受けて，三井住友銀行，三菱UFJ銀行，みずほ銀行をはじめ，全国各地の地域金融機関，ゆうちょ銀行において，いわゆる全店照会ができるようになっている。なお，全店照会とは，有効な債務名義（ただし，民執法22条5号の執行証書を除く。）の内容を確認し，その債務名義に表示された債務者の口座に関して支店名・口座科目・口座毎の預金残高の回答を求める弁護士会照会をした場合，それら金融機関において，当該債務者（預金者）の同意を得ることなく，速やかに回答するという取扱いである（今回，民執法改正により設けられた銀行等からの債務者の預貯金債権等に係る情報の取得の制度（同法207条以下）は，これら弁護士会照会の全店照会制度を民事執行法上の制度として取り込んだものと言える。）。

3　ところで，債務者の預貯金債権に対する強制執行をしようとする場合，弁護士としては，弁護士会照会の全店照会による情報取得と民執法207条の銀行等を対象とした債務者の預貯金等債権に係る情報取得手続による情報取得の2つの方法があることになる。

　　この点，制度の異同としては，民執法207条において提供される情報は，「債務者名義の預貯金債権の存否のほか，その取扱店舗，預貯金債権の種類，口座番号及び額」となるが，弁護士会照会の全店照会では，これらの情報以外に，「当該債務者名義の預金の過去の取引履歴」等についても回答が得られる可能性がある。また，弁護士会照会においては，債務名義には明記されていない「債務者の通称，肩書」，「過去の住所地，居所」についても回答が得られるケースがある（ただし，必要性と相当性が必要であることはもちろん，金融機関において「債務名義記載の債務者と同一人物であること」の確認ができることが前提となる。）。また，民執法による第三者からの情報取得手続では，執行裁判所から債務者に対して第三者からの情報提供がなされた旨の通知がなされることになる（208条2項）が，弁護士会照会ではそのような制度はない。

　　強制執行申立をしようとする弁護士としては，これらも考慮に入れて，弁護士会照会によるか，民執法207条の債務者の預貯金債権等に係る情報の取得手続によるかを検討する必要がある。

参考文献
自由と正義2019年11月号「特集　弁護士照会に関する最高裁判決と今後の対応について」
特に，弁護士照会の全店照会について「金融機関に対する全店照会の現状と最高裁判決が与える影響」（奈良弁護士会会員加藤文人）

（大砂　裕幸）

第2節　債務者の預貯金債権・振替社債等に係る情報の取得

◪ポイント◪
1　金銭債権についての債務名義（仮執行宣言付判決，執行証書等を含む。）又は一般の先取特権を有していれば，いわゆる不奏功等要件の下，裁判所を通じて銀行等から債務者の預貯金がある支店名，預貯金の種別，口座番号及び額の情報提供を受けることができる。
2　振替社債等（上場株式，振替投資信託受益権などをいう。）についても，上記1と同様の要件の下，債務者の有する振替社債等の銘柄及び額又は数について情報提供を受けることができる。
3　なお，上記1，2においては，不動産及び給与債権に係る情報の取得手続と異なり，事前に財産開示手続が行われていることは要件とされない。また，給与債権に係る情報の取得手続と異なり，請求債権が扶養料債権など（民執法151条の2第1項各号に掲げる義務に係る債権）又は生命身体侵害損害賠償債権であることも，要件とされない。

第 1　取得できる情報

1　預貯金について

　申立債権者が選択する銀行等[36]から，当該銀行等における債務者の預貯金の存否，預貯金がある場合，その預貯金を取り扱う店舗（支店名）[37]，預貯金の種別，口座番号及びその額について，情報取得できる（民執法207条1項1号，民執規則191条1項[38]）。

36　(1)　上記「銀行等」とは，銀行，信用金庫，信用金庫連合会，労働金庫，労働金庫連合会，信用協同組合，信用協同組合連合会，農業協同組合，農業協同組合連合会，漁業協同組合，漁業協同組合連合会，水産加工業協同組合，水産加工業協同組合連合会，農林中央金庫，株式会社商工組合中央金庫又は独立行政法人郵便貯金簡易生命保険管理・郵便局ネットワーク支援機構をいう（民執法207条1項1号上段）。

　　(2)　なお，我が国の司法権の及ぶ範囲，外国の法令による預貯金情報提供制限の余地，本制度趣旨・構造などから，①外国銀行（銀行法10条2項8号）の日本において銀行業を営む支店及び営業所（同法47条参照）は含まれ，②外国銀行の外国における支店及び営業所は原則として含まれず，③日本の銀行の外国における支店及び営業所も，原則として含まれないと解されている（内野ほか・Q&A：121～123頁など）。なお，日本において銀行業を営む外国銀行は，本書執筆時現在，金融庁ホームページ内の「銀行免許一覧（都市銀行・信託銀行・その他）」の「銀行免許一覧（外国銀行支店）」に掲載されており，また登記されている（会社法933条参照）。

37　(1)　なお，株式会社ゆうちょ銀行にあっては，本書執筆時現在，小樽，仙台，横浜，東京，長野，金沢，名古屋，大阪，広島，徳島，福岡の各貯金事務センター及び沖縄エリア本部貯金事務管理部（以上12か所）が，その「預貯金債権を取り扱う店舗」に該当する。なお，今後，順次，東京と大阪の各貯金事務センターに統合される予定のようである。

　　(2)　また，いわゆるネット専業銀行にあっては，形式的に支店名があるとしても「その預金を取り扱う店舗」概念（＝支店勘定管理）は存しない。それら銀行にあっては，いわゆる「全店一括順位付方式」による預金差押命令申立ても許容される（名古屋高金沢支決平成30年6月20日）。よって，ネット専業銀行にあっては，本制度を用いる必要性は低い。ただ，当該ネット専業銀行における預貯金の有無及び預貯金額を確認し，差押命令申立てにおける請求債権の割付けを適切に行うために，本制度を利用する実益がある。

38　預貯金契約は存するが残高が0円の場合，銀行等はどのような情報を提供すべきかについて議論がある（内野ほか・Q&A：115頁）。預貯金の額は，情報提供後も変動し得る。立法論として提供されるべき情報は「債務者との預貯金契約の存否並びにその預貯金契約が存在するときは，その預貯金契約を取り扱う店舗並びにその預貯金契約に係る預貯金債権の種別，口座番号及び額」であるべきだと思われ，民執法207条1項1号，民執

31

2　振替社債等について

(1)　振替社債等とは，株式，社債，国債，投資信託受益権[39]など社債株式等振替法2条1項各号が規定する「社債等」のうち，同法が定める振替機関が取り扱う振替株式，振替社債，振替国債，振替投資信託受益権など[40]を意味する（民執法207条1項2号下段，社債株式等振替法279条）。

(2)　申立債権者が選択する証券会社，銀行などの振替機関等[41]から，当該振替機関等における債務者の振替社債等の存否，振替社債等がある場合，その振替社債等の銘柄及び額又は数について[42]情報提供を受けることができる（民執法207条1項2号，民執規則191条2項）。

第2　複数の銀行・証券会社等から情報提供を求める申立て

1　一つの申立てによって，複数の銀行・証券会社等からの情報提供を求めることもできる[43]。

規則191条1項もその旨を規定していると解したい。振替社債等についても，文理上，相応に無理があるが，同様に解したい。

39　投資信託受益権とは，「投資信託及び投資法人に関する法律」2条7項中に規定する受益権をいう。一般に「投資信託」又は「投信」と略称されることがある。

40　株式のうち，上場株式は全て振替株式であり，非上場株式は振替株式ではない。投資信託受益権は，そのほとんどのものが振替投資信託受益権である。国債は，その99%以上が振替国債である。

41　(1)　振替機関等とは，(a) 振替機関と (b) 口座管理機関をいう（社債株式等振替法2条5項）。

　　(2)　上記 (a) の振替機関とは，①振替国債については日本銀行，②その他の振替社債等については株式会社証券保管振替機構がこれに該当する（社債株式等振替法2条2項，3条，47条参照）。

　　(3)　上記 (b) の口座管理機関とは，銀行・証券会社等がこれに該当し得る（社債株式等振替法2条4項，44条1項各号及び同条2項参照）。なお，実際に口座管理機関となっている具体的な銀行・証券会社等の調査方法は，後記第3の9(3)ウ参照。

42　振替社債等については，「振替社債等を取り扱う店舗」についての情報提供はされない。預貯金と異なり，振替社債等については支店勘定を用いた管理がされておらず，振替社債等差押命令申立てに際し，申立書に振替社債等を取り扱う店舗名（支店名）を記載する必要がないからである。

43　民執法207条1項は，「次の各号に掲げる者であつて最高裁判所規則で定めるところにより当該債権者が選択したもの」と規定し，民執規則187条等においても，申立債権者が選択する情報の提供を命じられるべき者は1名でなければならない旨の規定はない。

2　ただ，大阪・東京地裁は，一つの申立てによって，預貯金と振替社債等の双方に係る情報提供を求めることは，認めない運用方針である[44]。

3　なお，一つの申立書をもって，例えば預貯金と不動産に係る情報提供を求めるなど二つ以上の申立てをすることは，当然，すべきではない。

第3　申立要件等及び申立書の記載内容など

1　申立書例

(1)　申立書書式は，預貯金情報につき巻末書式〔19〕以下，振替社債等情報につき巻末書式〔34〕以下のとおりである。

(2)　なお，振替社債等に係る申立書例は，預貯金に係る申立書例と比べ，①表題と②その1枚目の「振替社債等に係る情報（民執法207条1項2号）」との記載部分が相違するだけであり，当事者目録，請求債権目録や同申立書に添付する「財産調査結果報告書」の書式（巻末書式〔31〕〔32〕と〔46〕〔47〕。なお，これらは同書式〔11〕〔12〕に同じ。）も同一である（巻末書式の目次178頁以下参照）。

44　(1)　劒持・金法2132号：9頁及び令和2年2月20日大阪地裁裁判官による研修講演など。

(2)　ただ，民執法207条1項は，「次の各号に掲げる者であつて最高裁判所規則で定めるところにより当該債権者が選択したもの」と規定し，同項1号と2号に掲げる者を言わば一体として，債権者による選択対象とする。また，民訴費用法別表第一16項は「民事執行法第二百五条第一項，第二百六条第一項又は第二百七条第一項若しくは第二項の規定による申立て」と規定し，民執法207条1項1号と2号を区分しない。よって，本来，預貯金と振替社債等の双方の情報を同時に求める申立ても許容され，その申立ては1件の申立てであり，申立手数料は1000円で足りると解されよう（結論同旨，阿多・金法2129号：26頁）。

(3)　しかし，大阪・東京地裁は，①裁判所内部での事務作業や②銀行等のうちには，預貯金情報を管理する部署と振替社債等情報を管理する部署を分けているものもあり得ることから，上記本文のとおりの運用をしているようである。上記①②が事実であって，一つの申立てによって預貯金と振替社債等の双方に係る情報提供を求めることが相応の支障を生じさせるのであれば，上記本文のとおりの運用も，実務上，相当であろう。

2　申立書の表題

(1)　申立書の表題は，「第三者からの情報取得手続申立書（預貯金）」，「第三者からの情報取得手続申立書（振替社債等）」とする。

(2)　なお，民執法4章2節の節名は「第三者からの情報取得手続」であり，上記のとおり第三者からの情報取得手続とか，単に情報取得手続と呼称される。さらに，同法207条1項等は「執行裁判所は，〜情報の提供をすべき旨を命じなければならない。」と規定するから，この命令（決定），手続，事件などを，情報提供命令，情報提供命令手続，情報提供命令申立事件などとも呼ぶことがある。本稿においても，同じである。

3　管轄裁判所

(1)　管轄裁判所は，債務者の普通裁判籍[45]の所在地を管轄する地方裁判所である。債務者の普通裁判籍がないときは，情報提供を命じられるべき第三者の所在地を管轄する地方裁判所が管轄裁判所となる（民執法204条）。

(2)　なお，債務者は住所を変更することがあるが，情報提供命令申立て時点の債務者の住所等によって，管轄裁判所が決定される（民執法20条，民訴法15条。相澤＝塚原・執行実務4版債権執行編（上）：38頁参照）。

4　申立ての趣旨及び理由（概要）

　巻末書式〔19〕〔34〕の各申立書式1枚目に記載の「申立人は，〜するので，〜を命じるよう求める。」との記載部分は，申立ての理由及び申立ての趣旨を端的に記載する部分である[46]。申立ての理由（申立要件）に関し，次の5

45　人の普通裁判籍は，住所により，日本国内に住所がないとき又は住所が知れないときは居所により，日本国内に居所がないとき又は居所が知れないときは最後の住所により定まる（民執法20条，民訴法4条2項）。法人その他の社団又は財団の普通裁判籍は，その主たる事務所又は営業所により，事務所又は営業所がないときは代表者その他の主たる業務担当者の住所により定まる（民執法20条，民訴法4条4項）。

　なお，法人債務者の登記事項証明書に本店所在地等の記載があるものの，申立て時において事務所等が廃止されて実体がない場合は，上記「事務所又は営業所がないとき」に該当し，代表者等の住所を基準に管轄裁判所が決定される。この点に留意する必要がある。

46　なお，複数の第三者（銀行，証券会社等）に預貯金情報又は振替社債等情報の提供を

〜 8 において説明する。

5　債務名義

(1)ア　巻末書式〔19〕〔34〕の申立書式に「申立人は，…債務名義の正本
に記載された請求債権を有している」とある。申立てができる債権者
は，金銭債権について債務名義を有する債権者である（民執法207条
1 項）。同債務名義には，仮執行宣言付判決や執行証書[47]など民執法
22条各号規定の全ての債務名義が含まれる。

イ　また，民保法52条 2 項は「物の給付…を命ずる仮処分の執行につい
ては，仮処分命令を債務名義とみなす。」と規定するから，金銭の支
払を命ずる仮処分命令を取得した債権者も，この申立てをすることが
できる[48]。家事事件の審判前の保全処分も同様である（家事事件手続
法109条 3 項，民保法52条 2 項）。

ウ　なお，即時抗告をすることができる家事審判は，確定しなければそ

求めるときは，同各申立書例に「第三者に対し」とあるのは「第三者らに対し」と変更
すべきであろう。

47　執行証書とは，いわゆる強制執行認諾文言がある公正証書をいう（民執法22条 5 号）。

48　(1)　この場合，民保法43条 2 項との関係では，仮処分命令が債権者に送達された日か
ら 2 週間以内に，情報提供命令申立てをすればよいと解されている（劒持・金法
2132号：20頁など）。

(2)　仮処分債権者が情報提供命令申立てを行い，預貯金・振替社債等の情報を得た時
点においては，仮処分命令の債権者送達日から 2 週間が経過しているのが通例であ
る。その後，得た情報に基づき仮処分債権者が同預貯金・振替社債等を差し押さえ
るためには，民保法43条 2 項との関係において改めて仮処分命令を取得する必要が
あるかについて見解が分かれる（内野ほか・Q&A：27頁）。大阪・東京地裁におい
ては，情報取得手続と当該強制執行とが，同一の目的に向けられた連続性のある手
続であると立証されたときは，改めて仮処分命令を取得する必要はないとの考え方
に従って運用する方針のようである（その立証方法を含め前田・金法2134号：58頁
注10参照）。

(3)　なお，例えば賃金仮払仮処分など定期金の支払を命ずる仮処分命令において，債
権者への仮処分命令送達後 2 週間の経過後に支払期限が到来するものについては，
債権者への仮処分命令送達日からではなく同支払期限から 2 週間以内であれば同項
を遵守したものと解されている（最決平成17年 1 月20日）。したがって，債権者が
預貯金・振替社債等の情報を得た後に支払期限が到来するものについては，同支払
期限から 2 週間以内に同預貯金・振替社債等の差押えを申し立てることができる
（内野ほか・Q&A：28頁）。

　　の効力を生じない（家事事件手続法74条2項ただし書）から，確定しなければ，本来の強制執行申立てはもちろん，財産開示手続申立て及び情報提供命令申立てもできない。

(2)　なお，一般の先取特権を有することを証する文書を提出した債権者も，申立てができる（民執法207条2項）。ただし，実務例は少ないと思われ，本稿においては，割愛する[49]。

6　執行文

(1)　巻末書式〔19〕〔34〕の申立書式に「執行力のある債務名義の正本」とある。したがって，上記5のとおりの債務名義を有するほか，原則，執行文の付与を受ける必要がある[50]。

(2)　例外的に，次の①～③の債務名義については，民執法27条2項の承継執行文（交替執行文[51]）を要する場合及び同条1項の条件成就執行文（事実到来執行文[52]）を要する場合を除き，執行文は不要である（民執法25条ただし書[53]）。また，次の④～⑥の債務名義についても同様である。

49　なお，大阪・東京地裁の各ホームページには，一般の先取特権に基づく申立てについての概説が掲載されている。

50　(1)　民執法207条1項は「執行力のある債務名義の正本」と規定する。これを受けて，巻末書式〔19〕〔34〕の申立書式も「執行力のある債務名義の正本」と記載している。

　　(2)　民執法25条は「強制執行は，執行文の付された債務名義の正本に基づいて実施する。ただし，少額訴訟における確定判決…は，その正本に基づいて実施する。」と規定し，同法51条1項は「第二十五条の規定により強制執行を実施することができる債務名義の正本（以下「執行力のある債務名義の正本」という。）」と規定するから，上記民執法207条1項の「執行力のある債務名義の正本」とは，執行文が付された債務名義の正本（ただし，執行文が不要な場合は債務名義の正本）を意味する。

51　民執法27条2項の執行文には，(a) 同法23条1項3号及び同条2項に該当する，正に承継執行文と呼ぶべきもののほか，(b) 同条1項2号及び同条3項のものも含む。そこで，民執法27条2項の執行文の講学上の総称として（又は上記（b）のものを），交替執行文とも呼ぶ（総研・執行文講義案：110頁など）。

52　民執法27条1項は「請求が債権者の証明すべき事実の到来に係る場合」とする。停止条件の成就がその典型であることから，講学上，条件成就執行文と呼ばれるが，不確定期限の到来なども含まれるから，事実到来執行文などとも呼ばれる（総研・執行文講義案：53頁）。

53　(1)　民執法25条ただし書は「これに表示された当事者に対し，又はその者のためにする強制執行はその正本に基づいて実施する。」と規定する。よって，承継執行文・交替執行文を要する場合は，同執行文を要する。ただ，事実到来執行文を要する場

① 少額訴訟における確定判決

② 仮執行の宣言を付した少額訴訟の判決（なお，民訴法376条参照）

③ 仮執行の宣言を付した支払督促

④ 金銭の支払を命ずる家事事件の審判及び家事事件手続法別表第二に
掲げる事項についての調停調書（同法75条及び268条 1 項括弧書[54]）

⑤ 仮払仮処分（民保法43条 1 項本文）

⑥ その他[55]

7　強制執行開始要件[56]

(1) 巻末書式〔19〕〔34〕の申立書式には，「添付書類」欄に関連記載があ
るだけで，その明記がないが，いわゆる強制執行開始要件を備えている
ことも必要である。民執法207条 1 項ただし書が「ただし，当該執行力

合に同執行文を要することは，同ただし書の規定文言自体からは判然としない。

(2) この点に関し，昭和54年法律 4 号民事執行法制定時は，民執法25条ただし書による例外は，上記本文③の仮執行宣言付き支払督促（当時は，支払命令）のみであった。支払督促に条件・期限が付されることはなく，事実到来執行文を念頭におく必要がなかった（浦野雄幸「逐条解説民事執行法〔改訂増補〕」（商事法務，昭和55年）：68頁参照）。ただ，平成16年法律152号により同条ただし書による例外として上記本文①②の少額訴訟確定判決等が加えられた。少額訴訟判決にあっては，条件・期限が付されることがある。よって，事実到来執行文を要する場合は，同執行文を要すると解釈されている。なお，国民に分かりやすい法律の観点からは，平成16年法律152号又はその後の改正により上記(1)引用部分が改められるべきように思う。

54 (1) 家事事件手続法39条の審判のうち金銭の支払等を命ずる審判について，同法75条は「確定判決と同一の効力」ではなく「執行力ある債務名義と同一の効力」を有すると規定するから，執行文は不要と解される。

(2) 家事事件手続法268条 1 項括弧書は，同別表第二に掲げる事項の調停調書も「確定した第三十九条の規定による審判」と同一の効力を有すると規定するから，同法75条により（上記(1)参照），執行文は不要と解される。なお，同調停調書に（a）同法別表第二に掲げる事項の債権と（b）それ以外の例えば慰謝料債権の支払条項がある場合，情報提供命令申立てに際しては，上記（a）の債権のみを請求債権として申立てを行えば執行文は不要であるが，情報取得後，速やかに上記（b）の債権をも請求債権として差押命令申立てをするのであれば，あらかじめ執行文の付与を受けておくべきであろう（なお，後記本文第10参照）。

55 相澤＝塚原・執行実務 4 版債権執行編（上）：93頁以下など参照。

56 強制執行開始要件の具備のほか，債務者について破産手続が開始していないことなど執行障害要件がないことも必要である（劔持・金法2132号：17頁，19頁，26頁等参照）。本稿においては説明を割愛する。

のある債務名義の正本に基づく強制執行を開始することができないとき
は，この限りでない。」と規定するからである。強制執行開始要件とは，
次のものをいう[57]。

① 　債務名義正本又は謄本の債務者への送達（民執法29条前段）

② 　民執法27条規定の執行文が付与された場合は，その執行文及びその
証明文書謄本の債務者への送達（民執法29条後段）

③ 　請求債権の弁済期限[58]の到来（民執法30条１項）

④ 　担保を立てることを強制執行の実施の条件とする債務名義の場合
は，担保を立てたことを証する書面の提出（民執法30条２項）

⑤ 　引換給付判決の場合は，反対給付又はその提供があったことの証明
（民執法31条１項）

⑥ 　いわゆる代償請求の場合は，本来の給付について強制執行の目的を
達成できなかったことの証明（民執法31条２項）

⑵ 　なお，通常は，上記⑴のうち①③が問題になるだけであることが多い。
その場合は，①については巻末書式〔19〕〔34〕の申立書の添付書類欄
のとおり債務名義正本の「送達証明書」を添付して証明し，③について
は期限が到来していれば，自明のこととして特段の証明を要しない。

---

57 ⑴ 　民執法29条から31条までに規定するものがこれに当たる。同法29条から31条まで
は「強制執行は，〜に限り，開始することができる。」と規定するから，これらを，
講学上，強制執行開始要件と呼ぶ。強制執行開始要件については，執行機関が調査
判定するものとされ，申立人は，執行機関に対して，証明することになる。

⑵ 　なお，前記の事実到来執行文に係る条件成就等は，執行文付与機関が調査判定す
るものとされ，申立人は，執行文付与機関に対して，証明し，執行文の付与を受け，
執行機関に「執行力のある債務名義の正本」として提示する。

⑶ 　上記⑴⑵のとおり，強制執行に必要な要件には，執行文付与の要件として執行文
付与機関（本案裁判所の裁判所書記官など）に調査判定させるものと，強制執行開
始要件として執行機関（執行裁判所・執行官）に調査判定させるものがある。当該
要件をいずれとするかは，いずれに調査判定させるのが便宜・適当かについての立
法判断である。

58 　確定期限の意味である。不確定期限の場合は，民執法27条１項の事実到来執行文を要
する。

8　民執法197条 1 項 1 号又は 2 号の要件（不奏功等要件）

⑴　はじめに

　巻末書式〔19〕〔34〕の申立書式に「以下のとおり，民事執行法197条 1 項の要件がある。」とあるように，民執法197条 1 項 1 号又は 2 号の要件（一般に「（強制執行）不奏功等要件」などと呼ばれる。）を備えることも必要である（民執法207条 1 項本文）。同申立書書式〔19〕〔34〕においては，同 1 号か 2 号かに応じて該当する□に✓を記入することになっている。以下，同 1 号と 2 号の双方について説明するが，実務的には，同 2 号の要件具備を検討すべき事案が多い。

⑵　民執法197条 1 項 1 号の要件

　ア　民執法197条 1 項 1 号は「強制執行又は担保権の実行における配当等の手続（申立ての日より六月以上前に終了したものを除く。）において，申立人が当該金銭債権の完全な弁済を得ることができなかつたとき。」と規定する。

　イ　民執法84条 3 項が「配当又は弁済金の交付（以下「配当等」という。）」と規定するから，上記アの「配当等の手続」とは，裁判所や執行官等が行う「配当又は弁済金の交付の手続」を意味することになる。具体的な例としては，①不動産執行（同法43条）のうち，強制競売における配当等の実施（同法84条等）及び強制管理における配当等の実施（同法107条等），②船舶執行における配当等の実施（同法121条，84条等），③動産執行における配当等の実施（同法139条等），④債権及びその他の財産権に対する強制執行において差押債権が供託された場合等の配当等の実施（同法166条等），⑤担保権の実行としての競売等における配当等の実施（同法188条，84条等）などがある。なお，上記アの括弧書のとおり，情報提供命令申立日の 6 か月以上前に終了したものは除かれる。

　ウ　以上に該当する場合には，申立書書式〔19〕〔34〕の「（ 1 号）」に係る□に✓を記載して民執法197条 1 項 1 号該当事実を主張し，後記11⑴コ記載の証明資料を添付する。

　エ　これに対し，預金差押えなど債権執行において，差押債権が存在せず，いわゆる空振りに終わった場合はもちろん，第三債務者から差押

債権を取り立てたとしても，裁判所等が行う「配当又は弁済金の交付の手続」を受けていない以上，民執法197条 1 項 1 号の要件に該当しない（東京高決平成21年 3 月31日）。また，不動産執行等における無剰余取消しや売却の見込みがない場合の取消し，動産執行における執行不能の場合なども，「配当又は弁済金の交付の手続」が行われていない以上，民執法197条 1 項 1 号の要件に該当しない[59]。

(3)　民執法197条 1 項 2 号の要件

ア　上記(2)に記載の申立日の前 6 か月未満に裁判所等が行う「配当又は弁済金の交付の手続」を受けていない場合は，申立書（巻末書式〔19〕〔34〕）の「（ 2 号）」に係る□に✓を記載し，民執法197条 1 項 2 号の「知れている財産[60]に対する強制執行を実施しても，申立人が当該金銭債権の完全な弁済を得られないこと[61]」を主張・疎明することになる。

イ　その主張・疎明には，巻末書式〔31〕〔32〕及び〔46〕〔47〕（なお，これらは，巻末書式〔11〕〔12〕に同じ。）の「財産調査結果報告書」を用い，同書式に従い，順次，所要事項を記入する。

ウ(ア)　なお，預貯金・振替社債等に係る情報提供命令申立てにおいては財産開示期日が実施されたことが要件ではないことなどから，同実施の有無を調査する義務はないと一般に解されている。

(イ)　したがって，財産開示期日実施の有無を調査しておらず，実施さ

---

[59]　筆者は立法論としては反対するが，解釈論としては上記のとおりである。実務の扱いも，上記のとおりである。

[60]　「知れている財産」とあるが，債権者として通常行うべき調査を行った上で知れた財産を意味すると解されている（東京高決平成17年 4 月27日公刊物未登載）。民執法20条，民訴法 2 条に基づき債権者は信義誠実な民事執行手続の追行を行うべきことからの解釈結果であると考える。強制執行申立てに弁護士強制主義は採用されていないことからすれば，弁護士の調査能力等を基準とするのではなく，一般的な債権者本人がいわば常識的に行う調査を意味すると解する（なお，内野ほか・Q&A：71〜72頁参照）。

[61]　「完全な弁済を得られない」とはどのような場合かについて，法制審民執法部会第 2 回会議（平成28年12月16日開催），第14回会議（平成29年12月15日開催）などにおいて議論がされたが，判然としないように思われる。例えば，勤務先が判明しているが，同給与債権を差し押さえても月額回収額は僅少で，理論的には長期間かければ全額回収できるとしても，そのような回収は実務的でない事案などを考えると，「完全な弁済を得られない」との要件は，相応に規範的な要件と理解すべきようであるが，筆者には，その判断基準が不明である。

れたかどうか知らない場合は，「財産調査結果報告書」の「1－1」については，「いいえ」に✓し，同2頁以下について記載し，所定の添付資料[62]を添付して，民執法197条1項2号該当事実を主張・疎明する。

(ウ)　無論，財産開示期日実施や情報提供命令の有無を調査するなどし，実施されたことが判明しているときは，「財産調査結果報告書」の「1－1」の「はい」に✓することになる。そして，「1－2」のア～ウのいずれかに該当し，かつ，「1－3」のとおり，財産開示・情報取得後，債務者が転居・本店移転をしておらず，新たな財産が判明していなければ，所定の証拠資料を添付することにより，原則として，同2頁以下の記入・疎明資料の提出の必要がなくなる扱いである[63]。なお，同「1－2」の「疎明資料一覧」欄に「B4

62　(1)　財産調査結果報告書の添付資料（疎明資料）として「固定資産税評価証明書」が掲げられている。

　　　しかし，園尾・自由と正義1990年11月号：115頁のとおり，現在の固定資産税評価証明書職権請求用紙は，当時，最高裁と当時の自治省の協議の上で制定されたもので，情報提供命令申立てのために同用紙を用いて固定資産税評価証明書を取り寄せることは想定されていない。かつ，今回の情報提供命令制度制定に際して，改めて最高裁と総務省との協議はされていないように思われる。この点に留意が必要であろう。

　　(2)　また，財産調査結果報告書の添付資料（疎明資料）として「公課証明書」が掲げられている。これについては，職務請求できる制度はなく，各市町村のホームページからダウンロード等する一般の交付申請書により，交付請求する必要がある。この点にも留意する必要があろう。

63　この扱いは，次のような考え方に立っているようである。(a) 3年以内に財産開示手続や情報取得手続が実施された際には，不奏功等要件が具備されている。(b) 民執法197条3項が3年以内の財産開示手続の再実施を原則制限していることの背景には，3年以内であれば，財産開示手続が実施された債務者が新たに財産を頻繁に取得する状況になっていることは少ないとの一般的な経験則がある。(c) そして，財産開示期日後に債務者が転居していない，つまり，債務者の自宅・本社が所有物件であっても賃借物件等であっても，自宅・本社についての財産関係に変化がなく，かつ，債権者において新たに判明した債務者の財産もないのであれば，今回の申立てに際しても，不奏功等要件を具備する蓋然性が相当程度認められる。(d) そのような事情の下においては，（財産開示期日に債務者が不出頭又は見るべき財産はない旨陳述した後，間もなく，同一債権者が，情報提供命令申立てをする場合が典型的であるが，）債権者の疎明活動を軽減することも，相当である。(e) もちろん，財産調査結果報告書の「1－2」の「ア」～「ウ」に該当しない場合は，別である。なお，同「イ」の「十分な財産」は規範的要件である

　　全ての情報提供書」とあるのは，預貯金・振替社債等，給与債権（勤
　　務先），不動産の情報提供命令手続において，銀行・証券会社，市
　　町村・日本年金機構，法務局など第三者から提供・送付された情報
　　内容を記載した書面の意味である。

9　当事者目録

(1)　当事者目録の書式

　ア　巻末書式〔20〕等では，預貯金・振替社債等の情報を提供すべき者，
　　すなわち，銀行・証券会社等を「第三者」と呼んでいる。

　イ　当事者目録は，第三者が1名のときは巻末書式〔20〕を用い，第三
　　者が複数の場合は巻末書式〔21〕〔22〕を併せて用いる。

(2)　申立人（債権者）の表示

　ア　申立債権者の住所，氏名・商号等，法定代理人・法人代表者の氏名
　　並びに代理人弁護士の事務所及び氏名を記載する（民執規則187条1
　　項1号）。巻末書式〔20〕等は，いわゆる本人申立てを前提としており，
　　代理人申立てに際しては，変形が必要である。実務的には，申立代理
　　人弁護士の電話番号等も記載すべきである。

　イ　債務名義に記載の申立債権者の住所，氏名等が変更されているとき
　　は，これを併記するとともに，いわゆる「つながり証明」として同変
　　更を証明する住民票，登記事項証明書等の証明資料を添付する（後記
　　11(1)イ(ア)）。

(3)　第三者の表示

　ア　預貯金情報に関して

　　(ア)　預貯金情報に関しては，申立債権者が選択する具体的な銀行等の
　　　商号等，本店・主たる事務所及び代表者を記載する（民執規則187
　　　条1項1号）。

　　(イ)　外国銀行の場合は，その登記事項証明書の記載に従い，本店所在

ところ，疎明資料として提出される財産開示期日調書（写し）を見てその評価に疑義が
ある場合などは，裁判所は追加の主張・疎明を求める。同「ウ」についても，疎明資料
として提出される情報提供書（写し）等の内容によって不奏功等要件の疎明があったと
はいえない場合は，裁判所は追加の主張・疎明を求めることになる。

地のほか，日本における営業所の所在地を併記し，日本における代表者を記載すべきものとされる（劔持・金法2132号：14頁）。

イ　振替社債等に関して

(ア)　振替社債等に関しても，申立債権者が選択する具体的な振替機関等の商号等，本店・主たる事務所及び代表者を記載する。

(イ)　なお，振替機関等とは，前記（注41）のとおり，①振替機関である日本銀行及び株式会社証券保管振替機構と②口座管理機関である銀行・証券会社等の総称である。一般に，債務者が日本銀行又は株式会社証券保管振替機構に直接口座を開設しているとは考えられない[64]。申立書には，債務者が口座を開設していると考えられる具体的な銀行・証券会社等の商号等，本店・主たる事務所及び代表者を記載する[65]。

64　⑴　日本銀行や株式会社証券保管振替機構に口座を開設するのは，銀行・証券会社等のみである。

　　⑵　なお，株式会社証券保管振替機構は，同機構に口座を開設していない者が保有する上場株式など振替社債等の具体的な情報は把握していないが，会社法の総株主通知制度などの関係上，ある特定の者がどの証券会社等に口座を開設しているかの情報を保有している。現に，同機構は，相続人に対し，その被相続人がどの証券会社等に口座を開設していたかの照会に応じている（同機構ホームページ https://www.jasdec.com/system/less/certificate/kaiji/chokusetu/index.html 参照）。

　　⑶　しかし，情報提供命令手続において，株式会社証券保管振替機構が提供すべき情報は，同機構「の備える振替口座簿における債務者の口座に記載され，又は記録されたものに限る」（民執法207条1項2号下段）。素直な条文解釈として，情報提供命令手続によって，同機構が保有する上記⑵の情報を取得することはできない。

　　⑷　株式会社証券保管振替機構が保有する上記⑵の情報を取得するために，弁護士法23条の2に基づく照会の活用が検討されるべきである。万一，同活用が困難であるときは，改めて民執法の改正がされるべきである。

　　⑸　なお，国債の振替機構である日本銀行は，上記証券保管振替機構と同様の情報は保有していないとのことである（令和2年1月，筆者が日本銀行に照会した結果）。

65　⑴　なお，株式会社ゆうちょ銀行は，情報提供命令を，その本店ではなく貯金事務センターに送付して告知することを求めているようである。今後，他の銀行等においても，その本店ではなく特定の営業店や事務センターに情報提供命令の送付・告知を求めるところも生ずると思われる。

　　⑵　しかし，大阪・東京地裁では，情報提供命令申立書に，情報提供命令の告知場所（告知先）として同貯金事務センター等を記載する必要はない扱いがされている。後記振替機関等についても，同様である（劔持・金法2132号：15頁）。この点は，預貯金差押命令申立ての場合の「送達場所」の扱いと異なる。

ウ　なお，我が国において，およそ預貯金・振替社債等を取り扱う銀行・証券会社等（特にいわゆるネット銀行・ネット証券）としてどのような銀行・証券会社等があるのかについて知るには，現状，次のとおりインターネットを通じて調べることができる。ただ，膨大な数があるので，実務的には，参考にする程度だろう。

(ア)　預貯金を取り扱う銀行等
現状，金融庁ホームページ内の「預金取扱等金融機関」で，知ることができる（ただし，農業協同組合等を除く。）。農業協同組合等を含む預貯金取扱金融機関については，別途，インターネットで「金融機関コード一覧」等で検索して調べることもできよう。

(イ)　振替社債等を取り扱う銀行及び証券会社等
a　株式会社証券保管振替機構が振替機関となっている振替社債等の口座管理機関については，現状，同機構のホームページ内の「制度参加者一覧」の「株式等振替制度　利用者一覧」「投資信託振替制度　利用者一覧」等で調べることができる。
b　日本銀行が振替機関となっている振替国債の口座管理機関については，現状，その一覧を示すホームページ等は存在しない。ただ，①財務省ホームページの中に「個人向け国債の関連サイトを運営している『全ての取扱機関の一覧』」が公表されている。②個人国債以外の国債については，現状，日本銀行ホームページ内に「日本銀行金融ネットワークシステム・金融機関等コード一覧（国債関係および国債資金同時受渡関係事務）」がある。上記①②が全てを網羅しているわけではないが，参考になる[66]。

(4)　債務者の表示
ア　債務者の住所，氏名・商号等及び法定代理人・法人代表者の氏名を記載する（民訴規則187条1項1号）。
イ　債務名義に記載の債務者の住所，氏名・商号等が変更されているときは，これを併記するとともに，いわゆる「つながり証明」として同変更を証明する住民票，登記事項証明書等の証明資料を添付する（後

66　令和2年1月，筆者が日本銀行に照会した結果である。

記11(1)イ(ア)。

ウ　また，民執規則187条２項は「前項の申立書には，できる限り，債務者の氏名又は名称の振り仮名[67]，生年月日及び性別その他の債務者の特定に資する事項を記載しなければならない。」と規定する。同規定上は努力義務ではあるが，的確に情報を取得するためには，巻末書式〔20〕等のとおり，振り仮名，生年月日（法人の場合は法人成立の年月日），性別等も記載するべきであり，その証明資料として住民票等を添付する必要がある（後記11(1)イ(イ)）。

エ　さらに，銀行・証券会社等において債務名義成立前の債務者の住所及び氏名・商号等での預貯金・振替社債等が存する場合がある。それらの情報も求めるときは，旧住所や旧氏名・商号等を「債務者の特定に資する事項」欄に記載し，いわゆる「つながり証明」として戸籍の附票，戸籍謄本，法人登記事項証明書等を添付する必要がある（後記11(1)イ(ウ)）。

10　請求債権目録

(1)　請求債権目録は，財産開示手続申立書における請求債権目録（巻末書式〔３〕～〔10〕）と同様である。債権差押命令申立ての場合と異なり，遅延損害金等については「令和○年○月○日から支払済みまで年○パーセントの割合による損害金」などとし，その確定した計算終期を記載する必要はない。

(2)　なお，情報提供命令申立てにおいては，金銭債権についての債務名義があれば足り[68]，元本のみを記載することも考えられる。ただ，後記第12のとおり消滅時効の完成猶予及び更新の関係があり，上記(1)のとおり

67　(1)　正確な振り仮名ないし銀行・証券会社等が把握している振り仮名が判然としない場合は，想定される複数の振り仮名を記載することも考えられる（谷藤・金法2129号：10頁注６）。

(2)　なお，正確な振り仮名が，銀行・証券会社等が把握している振り仮名と一致しないこともあり得ることにも，留意すべきである。

68　無論，民執法197条１項２号要件を疎明する際は，同号は「当該金銭債権の完全な弁済を得られない」と規定するから，ケースによっては，元本金額の多寡のほか，請求債権とする利息損害金の額も問題になり得る。

遅延損害金等についても記載すべきであろう。

11　添付書類と証拠書類

(1)　巻末書式〔19〕〔34〕の添付書類欄と証拠書類欄を参照されたい。なお，同申立書例からは，必ずしも明らかでないと思われる次の点を補足する。

　　ア〔資格証明書〕　債権者，債務者が法人であるときはその資格証明書を添付するほか，債権差押命令申立てにおける実務と同様，第三者の資格証明書も添付する必要がある[69]。

　　イ〔つながり証明等〕

　　　(ア)　債務名義成立後，債権者又は債務者の氏名・商号等又は住所の変更があるときは，その当事者の同一性を証明するいわゆる「つながり証明」として，戸籍の附票，法人登記事項証明書等の証明資料の添付が必要である（上記9(2)イ及び(4)イ）。

　　　(イ)　上記(ア)からの要請とは別に，当事者目録には，債務者の振り仮名，生年月日，性別等も記載すべきであるところ，債務者の生年月日，性別等がわかる住民票等の証明資料の添付が必要である（上記9(4)ウ）。

　　　(ウ)　上記(ア)，(イ)に加えて，債務者の過去の住所，氏名・商号等での預貯金・振替社債等についての情報提供をも求める場合は，いわゆる「つながり証明」として，戸籍の附票，戸籍謄本，法人登記事項証明書等の証明資料の添付が必要である（上記9(4)エ）。

　　　(エ)　上記(ア)～(ウ)のとおり，住民票等の提出の必要性根拠は異なるが，

69　(1)　資格証明書に関し，大阪地裁では，債権者，債務者，第三者ともに3か月以内のものを求めている。東京地裁では，債権者については2か月以内，債務者及び第三者については1か月以内のものを求めている。

　　(2)　なお，必要なのは当該法人の本店所在地，商号及び代表者の情報であり，第三者の資格証明書については，代表者事項証明書が適当である。もちろん履歴事項証明書などでもよいが，法人によっては大部となり，裁判所における代表者等の確認作業が煩雑になり，事件記録も不必要に大部になる。申立債権者にとっても，取寄せ手数料が高額化する。この点は，債権者及び債務者の資格証明書においても同様であろうか。ただし，債権者又は債務者が本店移転等をしており，旧本店所在地等の情報が必要であるときは，履歴事項証明書にすべきである。

同じものを複数提出する必要はない[70]。

ウ〔個人番号記載のないもの〕　なお，上記裁判所に提出する住民票等は，個人番号（いわゆるマイナンバー）の記載がないものにしなければならない[71]。

エ〔委任状〕　弁護士が代理人として申立てをする場合は，委任状を添付する（民執規則15条の2，民訴規則23条1項）。

オ〔確定証明書〕　債務名義が家事審判である場合は，確定証明書の添付が必要である。確定しなければその効力が生じない（家事事件手続法74条2項ただし書）からである（上記5(1)ウ）。

カ〔債務名義が仮払仮処分命令の場合〕　債務名義が仮払仮処分命令であるときは，民保法43条2項との関係で，債権者に対する同仮処分命令の送達日が分かる送達証明書を添付する必要がある。

キ〔強制執行開始要件証拠資料〕　債務名義の送達証明書を添付するほか，前記7(1)の②，④〜⑥の特殊な強制執行開始要件の具備を要する場合は，それらを具備していることを証明する証拠資料を添付する必要がある。

ク〔債務名義等の引用〕　前記第2の2のとおり，裁判所は，預貯金の情報提供命令申立てと振替社債等の情報提供命令申立てとは，別々に申し立てることを求める。そして，別々に申立てをする場合は，本来，債務名義正本と執行文の数通付与（民訴法91条3項，民執法28条）を受ける必要がある。ただ，本来は，一つの申立てとすることが可能なものであり，執行文の数通付与は煩雑であり，また債務者に通知される（民執規則19条1項）ことから，大阪・東京地裁では，執行力ある債務名義正本（及び送達証明書等の執行開始要件の立証資料）について，一方の事件において原本の添付があれば，他方の事件では写しを

---

[70]　住民票等提出の必要性の根拠は異なるが，大阪・東京地裁では，便宜上，住民票等について1か月以内に発行されたものを求める旨，ホームページに記載している。

[71]　情報提供命令手続における裁判所への個人情報の提供は，通例，「行政手続における特定の個人を識別するための番号の利用等に関する法律」19条各号のいずれかに該当する場合ではない。よって，同条柱書により，個人番号（いわゆるマイナンバー）を含んだ個人情報を裁判所に情報提供することは禁止される。

　　添付してする引用方式を認める方針である。この場合は，他方の事件
　　の申立書には「なお，令和〇年（情チ）第〇号第三者からの情報取得
　　事件において提出した債務名義及び送達証明書を引用する」などと記
　　載する扱いである（劒持・金法2132号：17頁）。
　ケ〔証拠資料の書証番号〕　民執法197条１項各号の証明又は疎明の証拠
　　資料には，「甲〇」又は「甲第〇号証」との証拠番号を付することが
　　考えられる。
　コ〔民執法197条１項１号の証拠資料〕　民執法197条１項１号該当性を
　　主張する場合，巻末書式〔19〕の「証拠資料」は，原則，次のとおり
　　である[72]。
　　　(ｱ)　債務名義に当該配当等の手続による配当又は弁済金を交付した旨
　　　　の奥書（民執規則62条３項，145条等）がある場合：配当表又は弁
　　　　済金交付計算書の写し
　　　(ｲ)　上記(ｱ)の奥書がない場合：①配当表又は弁済金交付計算書の写し
　　　　及び②債務者の氏名，住所及び事件番号の記載のある開始決定正本
　　　　又は差押命令正本，配当期日呼出状などの写し
　(2)　申立書に添付書類として記載しないが，実務運用として添付すべきも
　　のとして，次のものが考えられる。
　ア〔当事者目録及び請求債権目録〕　裁判所が情報提供命令書等に用い
　　るものとして，事実上，提出する。大阪地裁の場合は，各１通である。
　　同通数は，裁判所によって異なろう。

72　(1)ア　弁済金交付計算書及び配当表には，事件番号は記載されるものの，債権者，債
　　　　務者及び請求債権は記載されない。
　　　イ　ただ，債務名義の正本に当該同弁済金・配当金交付の事実が奥書されていれば，
　　　　弁済金交付計算書又は配当表の写しと併せて，請求債権の同一性を含む民執法
　　　　197条１項１号の要件が備わっていることが証明できる。
　　(2)　債権者が執行文の数通付与を受けていたため債務名義の正本に上記奥書がない場
　　　合は，弁済金交付計算書又は配当表の写しに加えて，不動産競売開始決定，債権差
　　　押命令など当該強制執行手続開始に係る決定の写しがあれば，請求債権の同一性を
　　　含む民執法197条１項１号の要件が備わっていることが証明できる。
　　(3)　以上の結果，原則，上記本文(ｱ)(ｲ)のとおりとなる。ただし，当該強制執行手続
　　　等によっては，異なる扱いもあり得る。

　イ〔保管金提出書の郵送用94円郵便切手[73]〕　予納金を納めるための「保
　　管金提出書」は，債権者が受領して帰る場合を除き，裁判所から申立
　　債権者（代理人）宛に郵送される。そのための郵便切手として，大阪・
　　東京地裁では，94円（84円＋10円）郵便切手を同封して申し立てる必
　　要がある[74]。

　ウ〔94円郵便切手を貼った長形3号サイズの封筒（直送用封筒）〕　第三
　　者の数に応じた，申立代理人宛ての直送用封筒[75]の提出が必要である
　　（後記第5の2，第4の5参照）。

　エ〔債務名義等還付申請書〕　通例，債務名義等の還付申請をする[76]と
　　ころ，巻末書式〔33〕の債務名義等還付申請書が必要である。

　オ〔債務名義などの写し〕　また，債務名義など還付を受ける書類の写
　　し一式が必要である。

12　財産開示前置などは要件ではないこと

　⑴　預貯金債権・振替社債等に係る情報の取得については，不動産及び給

73　実務上は「郵券」と呼ぶことが多いが，郵便法施行規則31条等，民訴費用法13条など
　　法令上は「郵便切手」とする。

74　保管金提出書の郵送用の郵便切手は，電子納付等の対象にならない。裁判所から申立
　　代理人へ保管金提出書が郵送された後に，申立代理人は同保管金提出書に基づく電子納
　　付等をするからである。

75　第三者（銀行，証券会社等）が情報提供書を債権者（代理人）に，直接，送付するた
　　めの「直送用封筒」として，「94円郵便切手を貼った長形3号サイズの封筒」を添付する。
　　なお，84円郵便切手を貼って「不足料金受取人払い」と記載した「直送用封筒」を添付
　　する例もあるが，同不足料金受取人払い制度は，日本郵便株式会社の正式なサービスで
　　はなく，郵便法39条に基づき許容されているにすぎない点に配意すべきであろう。また，
　　情報提供書はさほど大部ではなく，レターパックでなくても支障はないようである。

76　⑴　情報提供命令手続においては，民執規則62条2項，129条2項，145条，172条な
　　どのような債務名義還付のための根拠規定がないが，当然のこととして還付を受け
　　ることができると解されている（劔持・金法2132号：10頁）。なお，民執規則62条
　　2項は同条3項に奥書について規定する前提として債務名義の還付について規定
　　しているだけであって，情報提供命令手続にあっては，債権取立てはされず奥書につ
　　いて規定する必要がないから債務名義還付の規定も設けられていないだけである，
　　と解する。

　　⑵　同還付は，情報提供命令発令後，民執規則188条に基づく情報提供命令正本に同
　　封する方法により申立債権者に還付される扱いのようである。

与債権に係る情報の取得の場合と異なり，財産開示手続がされていることは，要件ではない[77]。

⑵　また，給与債権に係る情報の取得手続と異なり，請求債権が扶養料債権など民執法151条の2第1項各号に掲げる義務に係る債権又は生命身体侵害による損害賠償債権であることも，要件とされない。

第4　申立てに要する費用等

1　申立印紙

⑴　申立手数料は，1000円である（民訴費用法別表第一16項）。申立書に収入印紙を貼付して納付する。同申立手数料については，現行法令上，電子納付等はできない（民訴費用法8条，民訴費用規則4条の2）。

⑵　一つの申立てで，複数の銀行・証券会社等から，情報の提供を求めることも可能である（上記第2の1参照）ところ，この場合も，申立印紙は1000円で足りる。ただし，上記第2の2及び前掲（注44）参照。

2　保管金提出書の郵送用の郵便切手94円

保管金提出書を受領して帰らず，裁判所に申立（代理）人への郵送を求めるときは，同郵送用94円郵便切手が必要である（上記第3の11⑵イ，前掲（注41）参照）。なお，後記4の郵便切手を現物で予納する場合は，上記94円郵便切手も合わせたものとして予納することになろう。

3　銀行等の「報酬及び必要な費用」

⑴　情報を提供する第三者は，情報提供の「報酬及び必要な費用」を請求することができる（民訴費用法28条の3）。その額は，第三者とされる銀行・証券会社等ごとに，預貯金情報について2000円（民訴費規則8条の3第1号），振替社債等情報について2000円（同条2号）とされる。

⑵　裁判所は，同「報酬及び必要な費用」を第三者に現金（現金振込み）で支払う。そこで，上記2のとおり裁判所から受領する「保管金提出書」

---

[77]　民執法207条は，206条2項と異なり，205条2項を準用しない。

に基づき，所定の金額を予納する（民執法14条１項，民訴費用法11条，12条，13条の２）。

⑶　なお，上記⑵の裁判所への納付方法には，いわゆる窓口納付，振込納付，電子納付[78]がある。大阪・東京地裁などでは，次の４で述べる郵便切手相当額とともに電子納付することを推奨し，第三者の報酬及び必要な費用並びに郵便切手相当額の合計概算額として，大阪・東京地裁では5000円（第三者が１名増えるごとに4000円加算）の予納を求めている。

4　裁判所が第三者と遣り取りする際に必要な郵便切手

⑴　裁判所が第三者に情報提供命令を告知するときなどに要する郵便切手又は郵便切手相当額の予納が必要である（民執法14条１項，民訴費用法11条１項１号，12条，13条，13条の２）。その郵便切手の額・内訳は，裁判所によって異なる。

⑵　上記３⑶のとおり，上記⑴の郵便切手相当額の合計金を，大阪・東京地裁などでは，上記３⑴の「報酬及び必要な費用」とともに電子納付することを推奨している。

5　94円郵便切手を貼った長形３号サイズの封筒（直送用封筒）

⑴　実務的運用として，第三者は，直接，申立債権者（代理人）に対し，情報提供書（回答書）の写しを郵送する（後記第５参照）。

⑵　そこで，第三者の数と同数の，宛先として申立債権者（代理人）の住所，氏名等を記載し，94円郵便切手を貼付した長形３号サイズの封筒を提出する（なお，前掲（注75）参照）。

6　上記諸費用の執行費用性

なお，以上の預貯金・振替社債等の情報取得手続の費用で必要なものは，執行費用として債務者の負担となる（民執法211条，42条１項）。ただし，情報取得手続は，同手続内で債権取立てを行うものではないため民執法211条は同法42条２項を準用していない。これら費用について強制執行するために

---

[78]　電子納付については，裁判所のホームページを参照されたい。

は，別途，裁判所書記官による執行費用額確定処分（民執法211条，42条4項。なお，同法22条4号の2）が必要である。

第5　第三者からの情報提供の具体的な流れ

1　以上に従った申立てがあれば，裁判所は，申立債権者が指定した銀行・証券会社等の第三者に対する情報提供命令を発令し（民執法207条1項），申立債権者及び同第三者に告知する（民執規則188条）。なお，この段階では，債務者には告知されない[79]。

2　上記情報提供命令を受けた第三者は，調査の上，裁判所に調査結果を記載した情報提供書を送付する[80]とともに，実務上，申立債権者（代理人）にその写しを送付する[81]。

第6　債務者への事後通知

1　上記第5の1のとおり，第三者（銀行・証券会社等）に対する情報提供命令が発令されても，その段階では，債務者には何ら告知されない。債務者に告知すれば，同預貯金・振替社債等を処分・隠匿等される可能性があるからである。

2　ただ，第三者（銀行・証券会社等）から情報提供がされた[82]後には，裁判所から，債務者に対し，同情報提供がされた旨通知がされる（民執法208条2項）。

3(1)　上記2の債務者への事後通知は，申立債権者が同提供された情報に

---

[79]　民執法207条は，206条2項と異なり，205条3項を準用しない。

[80]　今後の発令件数などにもよるが，第三者への告知日から2週間程度で，情報提供書が送付されることが想定されている（劔持・金法2132号：23頁）。

[81]　(1)　民執法208条及び民執規則192条1項本文によれば，第三者が裁判所に情報提供書の原本とその写しを送付し，裁判所が申立債権者に同写しを送付することになる。

　(2)　しかし，民執規則192条1項ただし書及び同条2項は，第三者が裁判所に情報提供書を送付するとともに申立債権者にその写しを送付した場合について規定し，これを根拠に，実務上は，上記本文のとおり運用している。

[82]　預貯金及び振替社債等が存在しない旨の情報提供がされた場合を含む。

　　基づき預貯金・振替社債等差押命令申立てを行い，同差押命令が発令
　　され，第三債務者等に送達された後にされるべきである。他方，事案
　　によっては，種々の理由から同差押申立てに時間を要することや，差
　　押命令発令に時間を要することがある。また，債権者がいたずらに同
　　差押申立てを遅延することや同差押申立てをしないこともあり得る。

⑵　上記実情を適切に把握した上での実務の運用に委ねる趣旨で，民執
　　法及び民執規則は，債務者への事後通知の時期について具体的な規定
　　を置いていない。大阪・東京地裁は，第三者からの最後の情報提供書
　　の到着から，債務者に対する通知書送付までの間に，少なくとも1か
　　月の期間を空ける運用方針のようである[83]。

⑶　なお，申立債権者から債務者への通知時期を遅らせてほしい旨の上
　　申書が出た場合でも，裁判所は，債務者の利益及び債務者への通知漏
　　れという過誤を防ぐ観点から，原則として，同上申には応じない運用
　　のようである[84]。債務者の不利益の観点はさて措き[85]，裁判所の過誤
　　防止の観点は理解できる。しかし，例えば，本来一つの申立てが可能
　　である預貯金情報と振替社債等情報について前記第2の2及び前掲
　　（注44）記載の要請から二つの申立てに分けて申立てをしたところ，
　　情報提供の時期に相応のずれがあった場合など，合理的な理由がある
　　場合は，申立債権者としては，事後通知時期の調整を上申し，場合に
　　よっては裁量権の逸脱を主張するなど断固として，上記運用の変更を
　　求めることになろう。

83　剱持・金法2132号：24頁。なお，内野ほか・Q&A：159頁。通常は，1か月程度以内に差押命令の申立て・発令・第三債務者等への送達が可能だとしても，年末年始など長期の休みがあるほか，更に実務的には種々のケースがあり得るから，本文⑶のとおり硬直的な運用にする場合は2か月程度とするのが相当であろう。

84　日弁連ライブ実務研修における元東京地裁裁判官の説明及び令和2年2月20日開催の大阪地裁による研修講演における説明

85　債務者の利益は，違法・不当な情報提供命令について事後的なチェック，損害賠償の請求の機会を保障するものであって，事後通知の時期が更に数週間遅れたからといって，特に問題になるものではないと考える。

第7　情報取得後の差押命令申立ての留意点

1　次の点があるから，預貯金・振替社債等の情報を得たときは，速やか
　に差押命令申立てを行うべきである。

　⑴　銀行・証券会社等は調査日を記載した情報提供書をもって預貯金・
　　振替社債等に係る情報を提供するが，債務者は，その後も，同預貯金・
　　振替社債等の払戻し・処分等をすることができること。

　⑵　特に，裁判所からの債務者への事後通知（上記第6）があった後は，
　　同預貯金・振替社債等の払戻し等がされる可能性が高いこと。

　⑶　事後通知がされる前に，差押命令申立てをすれば足りるのではな
　　い。事後通知前に，差押命令が第三債務者・振替機関等に送達される
　　必要があること。

2　また，預貯金の取扱店舗（支店）のほか，預貯金債権の種別，口座番
　号等の情報提供がされるが，上記1⑴の事情があるので，預貯金債権の
　種別，口座番号等を特定した差押命令申立てはすべきではなかろう。振
　替社債等についても，その銘柄等の情報提供がされるが，同様に銘柄等
　を特定した差押命令申立てはすべきではなかろう。

3　上記第3の9⑷イ〜エのとおり債務者の旧住所，旧氏名・商号等を併
　記して情報提供命令を得て，預貯金・振替社債等の情報を得たときは，
　預貯金・振替社債等差押命令申立てに際しても，債務者の旧住所，旧氏
　名・商号等を併記し，かつ，戸籍の附票など「つながり証明」[86]を添付
　して申立てをする必要がある。

4　情報提供命令によってある銀行に預金があることが判明しても，同銀
　行が反対債権を有している場合，質権等が設定されている場合，差押え
　が競合する場合などがあり，その場合は債権を回収できないことがある
　点にも注意を要する。

---

[86]　債務名義上の住所又は氏名・商号等と差押命令申立書記載のそれらに変更がある場合
　の「つながり証明」ではなく，差押えを求める対象の預貯金・振替社債等が債務者に帰
　属することの証明としては，住民票や登記事項証明書に代えて，情報提供命令書の写し
　及び情報提供書の写しでも足りよう（前田・金法2134号：59頁）。

第8　不服申立て等

1　不服申立て

⑴　申立てを却下する裁判に対する不服申立て

　預貯金・振替社債等に係る情報提供命令申立てを却下する裁判[87]に対しては，申立債権者は，執行抗告をすることができる（民執法207条3項）。

⑵　申立てを認容する裁判に対する不服申立て

　ア　情報提供命令申立てを認容する裁判については，執行抗告は認められていない。なぜなら，前記のとおり，情報提供命令の発令段階では，債務者には何ら告知されず，債務者からの不服申立ては想定し難いからである。また，第三者（銀行・証券会社等）には，執行抗告権を認めるほどの利益はないと判断されるからである。

　イ　ただ，債務者が何らかの経緯で情報提供命令の発令を知り，同発令が違法執行となっている場合に，債務者が執行異議の申立て（民執法11条）をすることはあり得る。また，第三者（銀行・証券会社等）が執行異議の申立てをすることもあり得る。

2　執行停止・執行処分の取消し

⑴　民執法211条は，預貯金・振替社債等に係る情報取得手続についても，同法39条及び40条を準用する。

⑵　したがって，実務上はほぼあり得ないが，理論的には，債務者が何らかの経緯で情報提供命令の発令を知るなどし，民執法39条1項7号又は8号の執行停止文書を裁判所に提出すれば，裁判所は，申立債権者及び第三者（銀行・証券会社等）に情報提供を停止すべき旨を通知する（民執規則193条2項）[88]などして，執行を停止する（民執法39条の準用）。

---

[87]　この裁判は，申立債権者には告知されるが，債務者及び第三者には告知されない（民執規則2条2項）。

[88]　⑴　一般の強制執行においては，執行停止文書が提出され執行を停止する場合，申立債権者及び債務者に告知・通知する根拠条文はなく，告知・通知されない（谷藤・金法2129号：13頁参照）。

　⑵　ただ，情報取得手続においては，民執規則2条の特則規定である同規則193条2

55

また，民執法39条1項1号から6号までの執行取消文書を提出すれば，
裁判所は，情報提供命令を取り消し（民執法40条1項の準用），申立債
権者及び第三者にその旨を告知する（民執規則193条3項）[89・90]。

3　損害賠償

以上のほか，申立債権者が，民執法207条の要件を具備していないのに違
法に情報取得をした場合や請求債権が完済等されているのに不当に情報取得
をした場合，債務者との関係において，不法行為（民法709条）になって損
害賠償義務を負うことになろう。

第9　記録の閲覧・謄写

1　およそ民事執行事件の記録は，利害関係を有する者のみが，閲覧謄写
　　等できる（民執法17条，執行官法17条2項，18条）。
2　ただ，情報提供命令手続によって第三者から提供された情報に関する
　　部分は，債務者の特に重要なプライバシーや営業秘密に係る情報である
　　ことなどから，上記1による規律に代えて次の者のみが閲覧謄写等でき
　　るものとされている（民執法209条1項）。

　　項により，申立債権者及び第三者には通知されることとされた。
　⑶　なお，一般の強制執行の場合を含め，申立債権者及び債務者が同執行停止文書の
　　　成立に関与等しているにせよ，執行停止文書が提出され，現に執行が停止された場
　　　合については，申立債権者や債務者にも通知するのが望ましいように思う。

89　債務者が執行取消文書を提出したことにより取消決定がされた場合は，債務者は認容
　　決定の送達を受けていないが，認容決定があったことを知っていたのであり，取消決定
　　の有無について関心を抱く。しかし，民執規則193条は同規則2条1項の特則規定であ
　　り，預貯金・振替社債等に係る情報提供命令の場合は，債務者には告知されないとの結
　　論になる。ただ，債務者が執行取消文書を提出したことにより取消決定がされた場合は，
　　執行取消文書の成立及び執行裁判所への提出について債務者が関与しているにせよ，同
　　取消決定により一旦開始された手続が終了するのだから，民執規則2条1項3号の趣旨
　　からすれば，債務者にも告知するのが望ましいように思う。

90　なお，債務者について破産手続，再生手続等が開始されたときも，手続は中止され，
　　また効力を失う事由となる（破産法42条6項，民再法39条1項など）。ただし，執行裁
　　判所へ破産手続開始決定書等の提出が必要である。詳細は，劔持・金法2132号：26頁以
　　下参照。なお，同号17頁，19頁も参照。

① 申立債権者

② 債務者に対する金銭債権について執行力のある債務名義を有する他の債権者

③ 債務者の財産について一般の先取特権を有することを証する書面を提出した債権者

④ 債務者

⑤ 当該情報を提供した第三者（銀行・証券会社等）[91]

第10　取得情報の目的外利用の制限と罰則

1　情報取得手続（上記第9記載の閲覧謄写等を含む。）により得た情報は，当該債務者に対する債権をその本旨に従って行使する目的以外に利用し，又は提供することが禁止される（民執法210条）[92]。

91　民執法209条1項5号は「当該情報の提供をした者」とする。その趣旨は，例えば，情報提供命令に基づきA銀行とB銀行が情報提供を行った場合，A銀行が提供した情報を閲覧謄写等できるのは，当該A銀行の情報を提供したA銀行に限られ，B銀行は閲覧謄写等できないとの趣旨である。

92　(1)　債権者がA債権を請求債権として情報取得した場合において，同取得情報を利用して，同債権者が同債務者に対して有するB債権を請求債権として差押えをすることも，許容されると解されよう（結論同旨，鷹取・自由と正義2019年12月号：22頁，山本ほか・論点解説〔加藤文人〕：139頁）。理由は，次のとおりである。

　ア　民執法210条1項は「当該債務者に対する債権をその本旨に従つて行使する目的」とし，「当該債務者に対する当該事件に係る債権をその本旨に従つて行使する目的」などとは規定しない。

　イ　同条2項も「第三者からの情報取得手続に係る事件の記録中の…情報を得たものは，当該情報を当該事件の債務者に対する債権をその本旨に従つて行使する目的」とする。

　ウ　なお，立案担当者は「債務名義が新民事執行法第206条第1項に規定する「人の生命…による損害賠償請求権」についてのものであるためには，当該債務名義で示された請求権の一部が「人の生命…による損害賠償請求権」であれば足りるものと考えられます。」とする（内野ほか・Q&A：103頁）。例えば，和解調書に「被告は，原告に対し，本件身体侵害による損害賠償債務を含む損害賠償債務として200万円の支払義務があることを認め，…支払う。」とある場合に，勤務先情報提供命令申立てが可能であって，その後，得た情報によって，上記200万円全額を請求債権とする給与差押えも許容されよう。

　エ　また，部会資料19−1の6頁の「申立人は，公的機関からの情報取得手続において得られた債務者の不動産又は給与債権（勤務先）に関する情報を，当該債務

2　違反者は，30万円以下の過料に処せられる（民執法214条2項）。また，不法行為（民法709条）に基づく損害賠償義務を負うことになろう。

第11　施行日及び経過措置

1　施行日は，令和2年4月1日である（改正法附則1条本文，令和元年政令189号）。
2　預貯金・振替社債等情報取得手続に関する特別の経過措置規定はない。したがって，施行日以前に取得した債務名義による申立ても，許容される。

第12　民法の消滅時効更新事由等

平成29年法律44号（いわゆる民法（債権法）改正）により時効制度が改正されたが，さらに改正法（令和元年法律2号民執法等改正法）附則9条により，強制執行等による時効の完成猶予及び更新に関する民法148条1項4号に「又は同法第二百四条に規定する第三者からの情報取得手続」が加えられ，令和2年4月1日から施行されている。よって，預貯金・振替社債等を含む

者に対する債権をその本旨に従って行使する目的以外の目的のために利用し，又は提供してはならないものとする。」との要綱案を前提とする議論であるが，部会第19回会議議事録8頁の阿多委員発言に対する同9頁内野幹事発言は，「飽くまで部会のこれまでの議論を踏まえた現時点での事務当局の捉え方ですが，既に取得された勤務先等の情報が債務名義上に表示されたその他の債権に基づく強制執行の場面で利用されたとしても，目的外利用とは言えないのではないかという議論があったものと認識しております。」とする。

⑵　ただし，上記⑴と異なり，同一の執行証書に養育費と財産分与請求権が記載されている場合など，同一の債務名義に記載されている他の金銭債権に限定して，目的外利用ということにはならないと考える説もあるようである。上記⑴エの内野幹事発言の影響かも知れない。しかし，たまたま同一債務名義に記載されているかどうかで，結論が異なる理由は，筆者には，不明である。

⑶　その他次のような情報の利用も「本旨に従つて行使」する場合として許容されるが，債務者への新たな融資判断や新たな担保を取得する目的への利用は許容されないと解されている（部会資料20－2の9頁，内野ほか・Q&A：164頁）。

①　債務者の倒産手続申立てに際しての利用
②　債務者との任意弁済交渉や私的整理や任意売却など法定手続以外での利用

第三者からの情報取得手続は，消滅時効の完成猶予及び更新事由になる。

第13　弁護士法23条の 2 による照会との関係

　上記預貯金に関する情報提供命令制度施行後も，債務者の預貯金情報等について，従前のとおり，多くの弁護士が弁護士法23条の 2 による照会を利用し，金融機関もこれに応じている。弁護士法23条の 2 による照会による場合は，上記第 6 の債務者への事後通知がされないことなどもあり，情報提供命令申立てではなく，弁護士法23条の 2 による照会を利用することも考えられる。

（待場　豊）

第 3 節　債務者の不動産に係る情報の取得

> ◆ポイント◆
> 1　金銭債権についての債務名義（仮執行宣言付き判決，執行証書等を含む）又は一般の先取特権を有することを証する文書を有していれば，財産開示手続を経た後，一定の要件の下，登記所から土地・建物に関する情報（名寄せ）を受けることができる。
> 2　不動産に係る情報の検索を求める範囲は，「全国」も可能ではあるが，「東京都及び神奈川県」などと地域を限定することが望ましい。
> 3　運用開始は，体制整備のため，改正法施行から 1 年程度先送りされ，令和 3 年 5 月 1 日からとなった[93]。

---

[93]　不動産に係る情報取得手続に関する規定については，改正法附則 5 条の政令で定める日を令和 3 年 4 月30日と定める政令（令和 2 年政令第358号）が公布されたため，民執法205条の適用開始は同年 5 月 1 日となる。

第1　改正の経緯

　不動産はその財産的価値が高く，債権回収として重要である。ただ，不動産の差押えに際しては，地番等を具体的に特定する必要があり，その調査は必ずしも容易ではない。

第2　取得できる情報

　債務者が所有権の登記名義人である土地又は建物等の存否，及びその土地又は建物等が存在するときには，その土地等を特定するに足りる事項（所在や地番等）を取得できる（民執法205条1項[94]，民執規則189条）。

第3　申立てできる債権者

1　金銭債権について債務名義を有する債権者である（民執法205条1項1号）。同債務名義には，仮執行宣言付き判決や執行証書（強制執行認諾文言がある公正証書をいう。）など民事執行法22条各号規定の全ての債務名義が含まれる。また，金銭の支払を命ずる仮処分命令も含まれると解されている（詳細については35頁参照）。
2　一般の先取特権を有することを証する文書を提出した債権者も，申立てができる（民執法205条1項2号）。

第4　申立要件

1　執行文
　前記36頁参照
2　一般的な強制執行開始要件
　前記37頁参照

---

[94] 「（土地又は建物）その他これらに準ずるものとして法務省令で定めるもの」は，地上権などの用益物権が考えられる。

3　民執法197条1項1号又は2号の要件（不奏功等要件）
　前記39頁参照
4　財産開示手続の前置（民執法205条2項，民執規則187条3項）
　債務者の預貯金債権・振替社債等に係る情報の取得手続とは異なり，事前に財産開示手続が行われていることが要件となる[95]。
　そのため，申立ての日の前の3年以内に財産開示における手続が実施されたことを主張し，これを証する書面（巻末書式〔61〕）を添付する必要がある（民執規則187条3項）。
　なお，財産開示手続の申立てをした債権者と不動産情報取得手続の申立てをした債権者が異なる場合でもよい。

第5　申立書の記載内容及び添付書類（民執規則187条）

1　申立書の記載例については，巻末書式〔49〕の申立書記載例を参照されたい[96]。
　申立の趣旨の記載において，「ただし，○○○○に所在する土地等に限る。」との記載部分があり，「東京」「東京・埼玉」などと記載することが予定されている。なお，「全国」と記載することも可能ではあるが，システムへの負担や事務の支障から，回答までに長時間を要することなどから望ましくないとされている。
2　民執法197条1項1号の立証資料
　民執法197条1項1号該当性を主張する場合の証明資料は，配当表写し，又は弁済金交付計算書写し，また必要に応じて不動産競売開始決定

---

[95] 「財産開示期日における手続が実施された場合」とは，財産開示手続の実施決定が確定し，財産開示期日が指定され，当該期日における手続が実施されたことにより，開示義務者（債務者等）が現実に財産開示手続における陳述義務を果たすべき状況になったことが必要である。具体的には，財産開示期日に開示義務者が出頭して債務者の財産に関する陳述をした場合に限らず，財産開示期日に開示義務者が出頭せず，又は陳述を拒んだことにより債務者の財産に関する情報を取得できなかった場合などもこれに該当する（劔持・金法2132号：18頁）。
[96] 劔持・金法2132号：29頁に掲載の書式例。申立てにおいては，裁判所のホームページを参照されたい。

写し，債権差押命令写し等である。

3　民執法197条1項2号の疎明資料

民執法197条1項2号該当性（知れている財産に対する強制執行を実施しても申立人が被担保債権の完全な弁済を得られないことの疎明）を主張する場合，「財産調査結果報告書及び疎明資料[97]」（巻末書式〔59〕〔60〕（書式〔11〕〔12〕に同じ））を提出することになる。

4　財産開示手続の前置の資料

不動産情報を対象とする申立てにおいては，申立ての日の前の3年以内に財産開示における手続が実施されたことを証する書面を添付する必要がある（民執規則187条3項）。

証する書面としては，「財産開示期日が実施されたことの証明書」（巻末書式〔61〕）又は「財産開示期日調書の写し」（ただし，財産開示期日に債務者が不出頭の場合は，これに加えて財産開示実施決定正本の写し）を証拠として提出することになる[98]。なお，上記書類は，財産調査結果報告書（巻末書式〔59〕〔60〕（書式〔11〕〔12〕に同じ）の疎明資料にも該当する[99]。

第6　申立てに要する費用

1　申立印紙

申立印紙は，1000円である（民訴費用法別表第1第16項）。

2　民執執行予納金

---

[97]　財産調査結果報告書（巻末書式〔59〕〔60〕（書式〔11〕〔12〕に同じ））に記載のある「疎明資料一覧」に基づき資料を提出する。

[98]　財産開示手続の当事者又は当該手続の閲覧・謄写が可能な利害関係人が申請すれば，財産開示期日が実施されたことの証明書を発行することが予定されており，この証明書の提出によっても証明することができることとなる予定である（奥田・家庭の法と裁判2020年2月号外：17頁）。

[99]　財産開示調査結果報告書書式を利用し，その添付資料として上記証明書等を提出する場合は，上記証明書等を情報取得手続の申立てにおいて民執法205条の証明資料として重ねて提出する必要はない（奥田・家庭の法と裁判2020年2月号外：17～18頁）。

第 7　債務者・債権者への通知

1　第三者（登記所）に対する情報提供命令が発令されると，債務者へ情報提供命令正本が送達される（民執法205条 3 項）。
2　情報提供命令は，確定により効力が生じる（民執法205条 5 項）。

第 8　第三者（登記所）からの情報提供の具体的な流れ

1　情報提供命令の確定後，裁判所は，第三者（登記所）に対し，情報提供命令正本を書留郵便で送付する方法にて告知する（民執規則188条）。
2　上記情報提供命令を受けた第三者（登記所）は，調査の上，回答書面を裁判所に送付する。

第 9　情報提供命令申立てに係る裁判に対する不服申立て等

1　不服申立て
前記55頁参照
2　執行停止・執行処分の取消し
前記55頁参照
3　損害賠償
前記56頁参照

第10　記録の閲覧・謄写（民執法17条，同209条）

前記56頁参照

第11　取得情報の目的外利用の制限と罰則（民執法210条，同214条 2 項）

前記57頁参照

（大西　克彦）

第4節　債務者の給与債権に係る情報の取得

◇ポイント◇

1　申立権者は，債務名義を有する金銭債権の債権者のうち，その債務名義の対象となっている請求権が民事執行法151条の2第1項各号に掲げる義務に係る請求権（扶養義務等に係る請求権）又は人の生命若しくは身体の侵害による損害賠償請求権である者に限られる。

2　申立てに当たっては債務名義が1記載の請求権であることが明確となっている必要があるため，1記載の請求権に関する和解調書や調停調書等作成の際には，金銭債権の名目をどのように記載するかに留意する必要がある。

3　情報提供義務者である各公的機関（市町村又は日本年金機構等）が保有している情報の違いを踏まえた上で公的機関を選択する必要があるが，各公的機関の中から情報を得られる可能性のある複数の機関を同時に選択することも可能である。

第1　改正の経緯

1　個人が債務者であるケースではその最も重要な財産が給与債権であることが少なくない。しかし，給与債権に対する強制執行の申立てをするためには第三債務者とすべき債務者の勤務先を具体的に特定する必要があり，債権者の勤務先を把握することは必ずしも容易ではない。

　　また，近時では特に養育費債権や生命身体損害の被害者の債権の履行確保の観点から，債務者の給与債権に対する差押えを容易にする方策が強く求められている。

2　そこで，本改正法は，給与債権（勤務先）に関する情報取得手続を新設した。

第 2　情報提供義務者及び取得できる情報

1　総論

　給与債権（勤務先）情報については，①市町村税（特別区民税を含む。）に係る事務に関して勤務先情報を有する市町村（特別区を含む。）と，②厚生年金保険に係る事務に関して勤務先情報を有する日本年金機構等に債務者の勤務先情報の提供を命ずることができる（民執法206条 1 項各号）。

2　市町村について

(1)　市町村は，給与の支払者から毎年 1 月31日までに同月 1 日現在の住所地の市町村に提出される給与支払報告書（地方税法317条の 6 第 1 項）や，同年 4 月 1 日現在において給与の支払を受けなくなった者がある場合に同月15日までに当該市町村に提出される届出書（同条 2 項）等を通じて，個人の給与債権に関する情報を把握しているため，これに情報提供義務を課するものである。

(2)　市町村が情報の提供をすべき事項は，給与[100]の支払をする者の存否並びにその者が存在するときは，その者の氏名又は名称及び住所（その者が国である場合にあっては，債務者の所属する部局の名称及び所在地[101]）である（民執法206条 1 項 1 号，民執規則190条 1 項）。

(3)　なお，市町村は(1)のようにして情報を得ているため，市町村に情報提供を求める場合，ある者が当該勤務先での勤務を開始した時点と市町村がその事実を把握する時点との間には，ある程度の時間差があり得るの

---

[100]　ここでいう「給与」とは，地方税法317条の 2 第 1 項ただし書に規定する「給与」である（民執法152条 1 項 2 号の「給料，賃金，俸給，退職年金及び賞与並びにこれらの性質を有する給与」とは異なる）。

[101]　給与の支払をする者が国である場合は，支出官等を代表者として差押命令を送達する必要があるところ（政府ノ債務ニ対シ差押命令ヲ受クル場合ニ於ケル会計上ノ規程 1 条 1 項），債務者の所属する部局によって支出官等が異なるから，その部局の名称及び所在地を提供すべき情報としている。

　申立人は，債務者の所属する部局の名称及び所在地の情報の提供を受けた後，当該部局に対して，具体的な支出官等の官職・氏名や差押命令の送達先について確認することになる（谷藤・金法2129号：11頁注 7，内野＝劔持・解説運用実務：91頁注 7，121頁）。

で，市町村からの情報取得手続に基づいて得られた情報が最新でなかったり，債務者が既に他の職場に転職済みであったりすることに留意すべきである。

3　日本年金機構等について

⑴　「日本年金機構等」とは，日本年金機構，国家公務員共済組合，国家公務員共済組合連合会，地方公務員共済組合，全国市町村職員共済組合連合会又は日本私立学校振興・共済事業団をいう（民執法206条１項２号。なお詳細は，後記第３の９参照）。

⑵　日本年金機構等が情報の提供をすべき事項は，報酬又は賞与[102]の支払をする者の存否並びにその者が存在するときは，その者の氏名又は名称及び住所（その者が国である場合にあっては，債務者の所属する部局の名称及び所在地[103]）である（民執法206条１項２号，民執規則190条２項）。

⑶　日本年金機構等の厚生年金保険に係る事務に関して有する勤務先情報は，比較的短期間のうちに更新されるのが通常と考えられるので，市町村からの情報取得手続により得られた情報に基づく差押えが空振りに終わったとしても，事案によっては日本年金機構等からの情報取得手続により，債務者の最新の勤務先情報を得ることができることもあり得る[104]。

　　なお，債務者が厚生年金保険の被保険者[105]でないときは，日本年金機

102　ここでいう「報酬」又は「賞与」とは厚生年金保険法３条１項３号に規定する「報酬」又は同項４号に規定する「賞与」である。

103　前掲（注101）と同様。

104　内野ほか・Q&A：95頁

105　⑴　従業員が常時５人以上いる個人の事業所（厚年法６条１項１号イ〜タの事業以外の事業である農林漁業，サービス業などを除く。）及び株式会社などの法人の事業所は，いわゆる強制適用事業所である（同条１項１号，２号）。また，強制適用事業所でないときも，事業主が申請して厚生労働大臣の認可を受けることにより適用事業所となることができる（同条３項。いわゆる任意適用事業所）。

　　⑵ア　上記⑴の適用事業所に常時使用される70歳未満の者は，国籍や性別，年金の受給の有無にかかわらず，厚生年金保険の被保険者となる（厚年法９条。試用期間中であっても，同様である）。

　　　イ　パートタイマー・アルバイト等でも１週間の所定労働時間及び１か月の所定

構等は債務者の勤務先情報を有しない。この場合は市町村に情報提供を求めるべきである。

第3　申立要件等及び申立書の記載など

1　申立書例及び申立てにおける注意事項

(1)　申立書の書式は，巻末書式〔63〕以下のとおりである。

(2)　勤務先情報提供を求める申立ては，不動産や預貯金等の情報提供を求める申立てとは，事件記録を閲覧等できる者の範囲や情報提供命令の送達の要否が異なるなどの手続上の差異がある。そこで，東京・大阪両地裁においては，勤務先情報提供を求める申立ては，不動産や預貯金等の情報提供を求める申立てとは別の申立書によって申し立てることを求める[106]。他の裁判所においても，同様と考えられる。

　　なお，東京・大阪両地裁では，同一の債務名義に基づき，同時に，勤務先情報提供を求める申立てと不動産や預貯金等の情報提供を求める申立てをする場合，債務名義正本や同送達証明書等の執行開始要件の立証資料の引用を認める扱いをしている。

(3)　なお，勤務先情報につき複数の第三者（例えば，○○市，日本年金機構，○○共済組合）を1通の申立書で申し立てることは可能である[107]。

(4)　勤務先情報と預貯金情報の申立てを同時に行う場合，預貯金情報と異なり，勤務先情報に係る情報提供命令は債務者に送達されるので（民執

労働日数が同じ事業所で同様の業務に従事している一般社員の4分の3以上である者は被保険者となる。

　ウ　パートタイマー・アルバイト等で，一般社員の所定労働時間及び所定労働日数の4分の3未満であっても，①週の所定労働時間が20時間以上あること，②雇用期間が1年以上見込まれること，③賃金の月額が8万8000円以上であること，④学生でないこと，⑤特定適用事業所または任意適用事業所に勤めていることの5つの要件をすべて満たす場合は，被保険者となる。

(3)　上記(1)の適用事業所以外の事業所に勤務する70歳未満の者は，事業主の同意の下，厚生労働大臣の認可を受けて，被保険者となることができる（厚年法10条）。

(4)　なお，法律上は以上のとおりであっても，事業主が日本年金機構等に対する届け出を怠っていれば，日本年金機構等は債務者の勤務先情報を把握できない。

106　剱持・金法2132号：9頁
107　剱持・金法2132号：9頁

法206条2項，205条3項），預貯金債権に係る情報提供がされる前に債務者に対して情報取得手続が行われていることが伝わり，債務者が預貯金を引き出す等する可能性がある。密行性を重視する場合は留意しなければならない。

2　表題

「第三者からの情報取得手続申立書（給与）」とする。

3　管轄裁判所

債務者の普通裁判籍を管轄する裁判所である。詳細は，第2節（34頁）参照。

4　申立債権者

(1)　申立てができる債権者は，「執行力のある債務名義の正本を有する金銭債権の債権者」のうち，その債務名義の対象となっている請求権が民執法151条の2第1項各号に掲げる義務に係る請求権[108]又は人の生命若しくは身体の侵害による損害賠償請求権である者である。

このように申立債権者を限定したのは，給与債権に関する情報が第三者に開示され，債権者が給与債権を差し押さえるに至った場合には一般に債務者の生活に与える影響が大きいと考えられることから，第三者から債務者の給与債権に関する情報の取得を求めることができるのは，そ

---

[108] 民執法151条の2第1項各号に掲げる義務に係る請求権とは，より具体的には次に係る請求権である。なお，次の(1)(2)は，実務的には同一視して専ら(2)として処理することが多いと思われる。また，財産分与請求権（民法768条）は含まれない（谷口園恵ほか『改正担保・執行法の解説』（商事法務，2004）：101頁）。
　　(1)　民法752条の規定による夫婦間の協力及び扶助の義務（家事法39条，別表第二1項）
　　(2)　民法760条の規定による婚姻から生ずる費用の分担の義務（家事法39条，別表第二2項）（いわゆる婚姻費用分担金）
　　(3)　民法766条（同法749条，771条及び788条において準用する場合を含む。）の規定による子の監護に関する義務（家事法39条，別表第二3項）（いわゆる養育費）
　　(4)　民法877条から880条までの規定による扶養の義務（家事法39条，別表第一84項，85項，別表第二10項）

の必要性が特に高い場面に限定するのが相当であるとの考えからである。

⑵　債務者の行為により債権者がＰＴＳＤを発症するなど精神的機能の障害が認められるケースについては，身体的機能の障害が認められるケースと区別すべき理由はなく，精神的機能の障害による損害賠償請求権は，「身体の侵害による損害賠償請求権」に含まれると解される[109]。

⑶　交通事故の人身損害について保険金を支払い，被保険者の損害賠償請求権を代位取得した保険会社の請求権も人の生命又は身体の侵害による損害賠償請求権に含まれると考えられる[110]。

⑷　申立てに際し，債務名義が和解調書，調停調書や公正証書等である場合，債務名義の対象となっている請求権が「民事執行法151条の２第１項各号に掲げる義務に係る請求権又は人の生命若しくは身体の侵害による損害賠償請求権」であることが明確である必要がある（例えば，「本件事故による人身損害に係る損害賠償金」など。）。

　人の生命若しくは身体の侵害による損害賠償請求権について，単に「和解金」，「本件解決金」等としか記載されていない場合，執行裁判所において訴状の写しの請求原因等を見てもこれが人身損害による請求権であると認定できないときは，上記要件を満たさないと判断される可能性がある。

5　申立ての趣旨及び理由

⑴　巻末書式〔63〕における「申立人は，…ので，…を命じるよう求める。」との記載部分は，申立ての趣旨及びその理由（民執規則187条１項２号）を端的に記載する部分である。

⑵　申立ての理由は，第三者に対する情報の提供をすべき旨の決定をするための要件を明らかにするものである。その記載に当たっては，強制執行開始の要件が満たされていることや申立日前６か月以内の強制執行等の不奏功等のほか，給与債権に関する情報取得手続においては，扶養義務等に係る請求権又は人の生命若しくは身体の侵害による損害賠償請求

---

[109]　内野ほか・Q&A：102頁，内野ほか・金法2120号：24頁
[110]　劔持・金法2132号：11頁

権であることを主張する必要がある。

6　執行文

　原則として，執行文の付与を受ける必要がある。この点は，基本的に預貯金等の情報提供を求める場合と同様である。詳細は第 2 節（36頁）を参照。

7　強制執行開始要件

　強制執行開始要件を備える必要がある。この点は，基本的に預貯金等の情報提供を求める場合と同様である。詳細は第 2 節（37頁）を参照。

8　民執法197条 1 項 1 号又は 2 号の要件（不奏功等要件）

　いわゆる不奏功等要件を備える必要がある。この点は，基本的に預貯金等の情報提供を求める場合と同様である。詳細は第 2 節（39頁）を参照。

9　当事者目録

⑴　申立人（債権者）の表示

　ア　申立債権者の住所，氏名・商号等名称及び法定代理人・法人代表者並びに代理人弁護士の事務所及び氏名を記載する（民執規則187条 1 項 1 号）。実務的には，申立代理人弁護士の電話番号等も記載すべきである。

　イ　また，債務名義に記載の申立債権者の住所，氏名等が変更されているときは，これを併記するとともに，いわゆる「つながり証明」として同変更を証明する住民票等の証明資料を添付する。

⑵　第三者の表示

　ア　市町村について

　　㋐　市町村を第三者として申し立てる場合は，市町村が第 2 の 2 ⑴記載のように勤務先情報を得ていることから，基本的に，債務者の直近の 1 月 1 日現在の住所地の市町村（特別区を含む。）を第三者とすることが想定される。

　　㋑　各市町村の住所・連絡先電話番号は，地方公共団体情報システム機構のホームページの「地方公共団体コード住所」でも調査するこ

70

とができる。代表者名は，市町村に電話するなどして確認すること
になると思われる。

(ウ)　市町村の資格証明書等は不要である。

イ　日本年金機構等について

(ア)　民執法206条1項2号上欄は，「日本年金機構，国家公務員共済組
合，国家公務員共済組合連合会，地方公務員共済組合，全国市町村
職員共済組合連合会又は日本私立学校振興・共済事業団」と規定す
る。そのうち，「日本年金機構」，「国家公務員共済組合連合会」，「全
国市町村職員共済組合連合会」及び「日本私立学校振興・共済事業
団」は，具体的な法人の名称であるが，「国家公務員共済組合」と
は合計20の国家公務員共済組合の総称[111]であり，「地方公務員共済
組合」とは合計64の地方公務員共済組合の総称[112]である。

したがって，「国家公務員共済組合」又は「地方公務員共済組合」
を第三者として選択する場合は，個々具体的な国家公務員共済組合
及び地方公務員共済組合の名称を第三者として記載して，申立てを
する必要がある。

また，個々具体的な国家公務員共済組合及び地方公務員共済組合
は，自己の共済組合に属する職員についてのみ，その勤務先（部局）
情報を有している。債務者が属する共済組合以外の共済組合を第三
者として選択して申立てをした場合，「該当なし」などと回答され

111　20の組合とは，①衆議院共済組合，②参議院共済組合，③内閣共済組合，④総務省
共済組合，⑤法務省共済組合，⑥外務省共済組合，⑦財務省共済組合，⑧文部科学省共
済組合，⑨厚生労働省共済組合，⑩農林水産省共済組合，⑪経済産業省共済組合，⑫国
土交通省共済組合，⑬裁判所共済組合，⑭会計検査院共済組合，⑮防衛省共済組合，⑯
刑務共済組合，⑰厚生労働省第二共済組合，⑱林野庁共済組合，⑲日本郵政共済組合，
⑳国家公務員共済組合連合会職員共済組合である。

112　64の組合（括弧内は所属者の概要）とは，①地方職員共済組合（道府県の職員（教
職員及び警察職員等を除く）等），②公立学校共済組合（全国の公立学校の教職員），③
警察共済組合（都道府県警察の職員等），④都職員共済組合（東京都及び特別区の職員
（教職員及び警察職員等を除く）），⑤指定都市職員共済組合である10個の組合（昭和57
年より前に指定された政令指定都市ごとにその市の職員（教職員を除く）），⑥市町村職
員共済組合である47個の組合（都道府県ごとにその区域内の全市町村の職員（教職員を
除く）），⑦都市職員共済組合である3個の組合（北海道都市，仙台市，愛知県都市の職
員（教職員等を除く））である。

るだけである。

　㈠　もっとも，国家公務員共済組合連合会を第三者として申立てをすれば，同連合会に属する20の国家公務員共済組合に連絡・調査して，債務者がいずれの国家公務員共済組合に所属していても，債務者の勤務先（部局）情報を提供してくれる（内野ほか・Q&A：92頁）。

　　　また，全国市町村職員共済組合連合会を第三者として申立てをすれば，同連合会に属する10の指定都市職員共済組合，3の都市職員共済組合及び47の市町村職員共済組合の合計60の地方公務員共済組合に連絡・調査して，債務者が上記60のいずれの地方公務員共済組合に所属していても，債務者の勤務先情報を提供してくれる（内野ほか・Q&A：92頁）。

　㈡　日本年金機構等を第三者として申立てする場合，法人登記がされていれば，同法人登記事項証明書を添付して申立てをする。

　　　法人登記がされていない場合は，申立人において，主たる事務所の所在地及び代表者を調査し，当事者目録に記載することとなる。

10　請求債権目録

⑴　巻末書式〔67〕（書式〔6〕に同じ）などのとおり，請求債権が民執法151条の2第1項各号に掲げる義務に係る請求権又は人の生命若しくは身体の侵害による損害賠償請求権であることを明示する[113]。

⑵　その他の点は，預貯金等の情報提供を求める場合と同様である。詳細は第2節（45頁）を参照。

---

[113]　民執法151条の2第1項各号に掲げる義務に係る請求権の請求債権目録は，巻末書式〔67〕から〔70〕（書式〔6〕〔7〕，〔9〕〔10〕に同じ）参照。この場合，請求債権目録に「養育費」，「婚姻費用」と記載され，民執法151条の2第1項各号に掲げる義務に係る請求権であることが明示されている。

　人の生命若しくは身体の侵害による損害賠償請求権についての請求債権目録では，巻末書式〔71〕から〔74〕のとおり，「人の生命又は身体の侵害による損害賠償請求権である下記債権」と明示しなければならない。巻末書式〔3〕等の請求債権目録とは異なることに注意する必要がある。

11　添付書類

この点は，基本的に不動産の情報提供を求める場合と同様である。詳細は第3節（61頁）を参照。

12　財産開示前置

この点は，基本的に不動産の情報提供を求める場合と同様である。詳細は第3節（61頁）を参照。

第4　申立てに要する費用

1　申立印紙

(1)　申立印紙は，1000円である（民訴費用法別表第1第16項）。

(2)　第3の1(3)のとおり，各公的機関の中から情報を得られる可能性のある複数の機関を同時に選択することも可能であるところ，この場合も，申立印紙は1000円を納めれば足りる（内野ほか・金法2120号：28頁）。申立債権者，債務者が複数の場合は，別であると解される[114]。

2　費用の予納

東京・大阪両地裁では申立て1件（申立人1名の場合）につき，勤務先情報の申立てについて，第三者1名の場合6000円，第三者が1名増すごとに2000円加算した合計額を保管金として予納することを求めることとしている。

3　上記諸費用の執行費用性

なお，以上の情報取得手続の費用は債務者の負担となる（民執法211条，42条1項）。ただ，民執法211条は42条2項を準用しておらず，別途，執行費用額確定処分を得なければ，債務者から取り立てることはできない。

---

[114]　債権者と債務者の組合せごとに1件の申立てとなり，例えば，情報提供命令申立てにおける債権者が1名で債務者が2名の場合は2000円，債権者が2名で債務者が2名の場合は4000円になると解される。

第5　第三者（市町村及び日本年金機構等）からの情報提供の具体的な流れ

1　以上に従った適法な申立てがあれば，裁判所は，申立債権者が指定した市町村及び日本年金機構等に対する情報提供命令を発令し（民執法206条1項），情報提供命令正本を債務者に対し送達し（民執法206条2項，205条3項），申立債権者に告知する（民執規則188条）。

2　情報提供命令の確定後，裁判所は，市町村・日本年金機構等に対し，情報提供命令正本を送付する方法で告知する（民執規則188条）。

　情報提供命令正本の送付を受けた市町村・日本年金機構等は，情報提供書を作成し，執行裁判所に情報提供書の原本及び写しを提出するか，執行裁判所にその情報提供書の原本のみを提出し，申立人にその写しを直接発送する（民執規則192条1項）。

第6　市町村・日本年金機構等に係る情報提供命令申立てに係る
　　裁判に対する不服申立て等

1　不服申立て

⑴　申立債権者による不服申立て

　情報提供命令申立てを却下する裁判[115]に対しては，申立債権者は，執行抗告をすることができる（民執法206条2項，205条4項）。

⑵　債務者からの不服申立て

　情報提供命令を発令した場合には，債務者は，この決定に対して執行抗告をすることができる（民執法206条2項，205条4項）。

2　執行停止・執行処分の取消し

⑴　民執法211条は，勤務先情報に係る情報取得手続についても，同法39条及び40条を準用する。

⑵　したがって，債務者から民執法39条1項7号又は8号の執行停止文書

---

[115]　この裁判は，申立人には告知されるが，債務者及び第三者には告知されない（民執規則2条2項）。

が提出されれば，裁判所は，申立債権者及び第三者（市町村・日本年金機構等）に情報提供を停止すべき旨を通知する（民執規則193条 2 項）。また，民執法39条 1 項 1 号から 6 号までの執行取消文書が提出されれば，裁判所は，情報提供命令を取り消し，申立債権者，情報提供命令の告知を受けた第三者及び情報提供命令の送達を受けた債務者にその旨を告知する（民執規則193条 3 項）。

第 7　記録の閲覧・謄写等（民執法17条，209条）

1　預貯金・振替社債等情報取得命令事件の記録は，利害関係を有する者のみ，閲覧・謄写等できる（民執法17条）。
2　ただし，第三者（市町村・日本年金機構等）からの情報提供部分は，債務者のプライバシーに係る情報であるから，上記 1 による制約に加えて次の者のみが閲覧謄写等できるとされている（民執法209条 2 項）。
　① 申立債権者
　② 債務者に対する第151条の 2 第 1 項各号に掲げる義務に係る請求権又は人の生命若しくは身体の侵害による損害賠償請求権について執行力のある債務名義の正本を有する債権者
　③ 債務者
　④ 当該情報を提供した第三者（市町村・日本年金機構等）

第 8　取得情報の目的外利用の制限と罰則（民訴法210条，214条 2 項）

1　以上の手続（第 7 記載の閲覧・謄写等を含む。）により得た情報は，債務者に対する債権をその本旨に従って行使する目的以外に利用し，又は提供することが禁止される（民執法210条）[116]。

---

[116]　実務上，扶養料債権又は人の生命身体侵害の損害賠償請求権を根拠に給与債権に係る情報を取得した者が，同一債務者に対する当該債権以外の債権の満足のために給与債権の差押えを申し立てた場合に，取得情報の目的外使用に当たるのかが問題となる。条文上，「当該債権」の本旨に従った行使に限定されていないこと，もともと債務者は財産開示手続の実施決定により給与債権を含めた全財産につき陳述すべき立場にあること，もしこれが許されないときは，債権者の充当指定の如何によって債権者が強制執行

2　違反者は，30万円以下の過料に処せられる（民執法214条2項）。また不法行為（民法709条）に基づく損害賠償義務を負うものと考えられる。

第9　施行日及び経過措置の存否

1　施行日は，令和2年4月1日である（民執法附則1条本文，令和元年政令189号）。
2　勤務先情報取得手続に関する特別の経過措置規定はない。したがって，当然，施行日以前に取得した債務名義による申立ても，許容される。

第10　民法の消滅時効更新事由

　平成29年法律44号（通称民法債権法改正）により時効制度が改正されたが，令和元年法律2号（民執法等改正）附則9条により，強制執行等による時効の完成猶予及び更新に関する民法148条1項4号に「又は同法第二百四条に規定する第三者からの情報取得手続」が加えられ，令和2年4月1日から施行されている。

（石川　慧）

不能の財産に転じられてしまうといった不都合が生じることから，目的外の範囲をこのように狭く解釈すべきでないと考える（鷹取・ひろば72巻9号：20頁）。

第3編　差押禁止債権に関する規律の見直し

第1章　改正の経緯

第1節　見直しの趣旨

　今般の改正は，債務者の財産状況の調査に関する制度の実効性を高めるものであるが，さればこそ，その一方で，行き過ぎた執行すなわち過酷執行から債務者を保護する必要性も高い。

　かかる観点から，今回の改正においては，①差押命令送達時に対抗策を教示する制度が新設され，②被差押債権に対する取立権の発生時期を後ろ倒しにすることとされた。

第2節　改正の理由

1　差押禁止と過酷執行

　民執法は，①債務者が国及び地方公共団体以外の者から生計を維持するために支給を受ける継続的給付に係る債権（民執法152条1項1号），②給料，賞与等の債権及びこれらの性質を有する給与に係る債権（民執法152条1項2号），③退職手当及びその性質を有する給与に係る債権（民執法152条2項）については，その「給付の4分の3に相当する部分」を差押禁止債権としていた。

　つまり，民執法においては，アプリオリに差押禁止とされるのは，給料等の4分の3に過ぎないため，例えばパート勤務で月収8万円しかない債務者に対しても2万円の差押えが可能となり，たちまち「最低限度の生活」（憲法25条）すら維持できなくなってしまう。いわゆる過酷執行の問題である。

2　差押命令取消制度の機能不全

　もっとも，そのような場合に備えて，債務者及び債権者の生活の状況その他の事情を考慮して，その範囲を変更することとなる「差押命令の全部若しくは一部」の取消しの申立てが認められている（民執法153条 1 項）。

　しかし，実務上，公刊物に登載された裁判例は少なく[1]，かつ，裁判所の実情調査でも少額給与債権差押の事案において差押命令取消の制度が利用されることはほとんどない，といわれている[2]。

　その理由として，以下の問題点が指摘されていた。

(1)　債務者の認知不足

　　比較的少額の給与等により生活している債務者は法的知識が十分でないことも多く，代理人がついていない場合も少なくない。

　　そのため，債務者がこの制度を認知していないことが通常である[3]。

(2)　時間的制約

　　従前，差押債権者の取立権は，債務者に対する差押命令の送達日から 1 週間を経過した時点で発生する（民執法155条 1 項）。また，転付命令（民執法159条）に対する執行抗告（民執法10条 2 項）も債務者への送達から 1 週間の不変期間内とされている。

　　そのため，債務者が弁護士に相談する段階では被差押債権が既に取立て済みであったり，転付命令の効力が生じてしまっていたりすることも多く，それらの場合，差押命令取消申立ては無意味となる。

第 3 節　改正のポイント

　かかる実態すなわち過酷執行から債務者を保護する必要性に鑑み，上記第 2 節 2 (1)「債務者の認知不足」を解消する方策として，①差押命令送達時に債務者に対抗策を教示する制度が導入されるとともに，同(2)に対する手当と

1　詳細な認定の上で命令の一部取消しを認めた事例として，札幌高決昭和60年 1 月21日判タ554号：209頁

2　内野ほか・金法2126号：31頁

3　新法成立時の参議院附帯決議において，「債務者に当該制度が周知されていない現状を改め，債務者に配慮した手続の整備に努めること」と指摘されているほどである。

して，②取立権の発生時期を後ろ倒しにすることとされたのである。

第2章　手続の教示に関する規定の新設

第1節　新設規定の概要

　以上のことから，新法においては，裁判所書記官が，差押命令を債務者に送達する際，差押禁止債権の範囲の変更の申立てをすることができる旨を教示しなければならない旨が規定された（民執法145条4項）。

　「教示」の対象は，給与等の債権者や退職金等の債権が差し押さえられた場合に限らず，債権執行事件全般の債務者である。

　また，「教示」の具体的な方法については，「法第145条第4項の規定による教示は，書面でしなければならない。」（改正民執規則133条の2第1項）とされ，内容については，「法第153条第1項又は第2項の規定による差押命令の取消しの申立てに係る手続の内容とする。」（同条2項）とされている。

　その具体的な文面等については，少額訴訟における「審理及び裁判の手続の内容を説明した書面」（民訴規則222条1項）と同様に，各裁判所によって書式が用意されるものと思われるが，「裁判所書記官の教示に当たってはその手続を分かりやすく案内するとともに専門家による支援を容易に得られるようにするなど，債務者に配慮した手続の整備に努めること。また，これらについて，本法施行後における運用状況を勘案し，必要に応じて更なる改善を図るよう努めること。」という附帯決議をふまえた運用となることが期待される。

　なお，大阪地方裁判所執行部における書式は，巻末書式集のとおりである。

第2節　少額訴訟債権執行等への準用

　少額訴訟債権執行において，裁判所書記官による差押処分を送達する場合，かかる教示の条文が準用されることとなった（民執法167条の5第2項）。

　同様に，債権仮差押事件の保全執行においても，民事執行法の条文が準用されることから（民保法50条5項），新法によって，かかる教示の条文も準用されることとなった（令和元年法律第2号附則14条）。

　したがって，これらの手続においても，債務者に差押処分ないし仮差押命令を送達する際，差押禁止債権の範囲の変更の申立てができる旨等の教示がなされることとなる。

（三浦　直樹）

第3章　取立権の発生時期の見直し

第1節　見直しの趣旨

1　従来の旧民執法下において，差押禁止債権の範囲の変更の申立制度が活用されずほとんど機能していないとの指摘があり，比較的少額の給与等の債権が差し押さえられる事案などでは，債務者が最低限度の生活を維持することが困難となりかねないことから，このような事態は深刻であるとされていた。

2　差押禁止債権の変更の申立制度が活用されない理由として，これまで次のような指摘がなされていた。

　　差押禁止債権の範囲の変更（民執法153条1項）は，差押えに係る金銭債権の取立てが完了した後は，申立てることができないと解されており，他方，金銭債権の差押債権者が取立てを行うことができるようになるのは，債務者に対して差押命令が送達された日から1週間を経過したときとされている（民執法155条1項）。したがって，差押禁止債権の範囲の変更の申立てをしようとする債務者にとって，実質的な準備期間は，差押命令の送達から1週間という短期間である。このような短期間のうちに，債務者が差押禁止債権の範囲の変更の申立てをすることは事実上困難[4]である。このように準備期間が短いことが，この範囲変更の制度がほとんど機能していない原因であるとされた。

3　そこで，このような指摘に対する方策として，債務者が差押禁止債権の範囲の変更の申立てをする機会を実質的に保障するため，給与等の債権及び退職金等の債権を差し押さえた債権者が，これらの債権の取立てをすることができるようになる時期を「後ろ倒し」にして，準備期間を

---

[4]　差押禁止債権の範囲の変更の裁判においては，実務上，債務者の給与等の額のほか，債務者の他の収入及び資産の状況，債務者の家計の状況や浪費の有無，同居者の収入及び資産の状況等を総合的に考慮して判断されるため，差押禁止債権の範囲の変更の申立てをするにあたって，これらの考慮要素に関する資料収集等を準備せねばならず，そのために相応の期間を要することが想定されている。

伸長した。

第2節　見直しの内容

1　民執法155条2項は，「差し押さえられた金銭債権が第152条第1項各号に掲げる債権又は同条第2項に規定する債権である場合（差押債権者の債権に第151条の2第1項各号に掲げる義務に係る金銭債権が含まれているときを除く。）における前項の規定の適用については，同項中「1週間」とあるのは，「4週間」とする。」と定め，差し押さえられた金銭債権が生計維持のための継続的給付債権や給与等の債権である場合（民執法152条1項）や，退職手当及びその性質を有する給与にかかる債権の場合（同条2項）に，取立権の発生時期を，従来の「債務者に対して差押命令が送達された日から1週間後」であったのを「4週間後[5]」として，差押禁止債権の範囲変更申立のための準備期間を伸長した。

2　また，差押債権者による取立て以外の方法による換価の場面においても，取立権の発生時期を「後ろ倒し」にした趣旨を踏まえ，債務者が差押禁止債権の範囲の変更の申立てをする機会をより実質的に保障するため同様の改正が行われている（後記第4章参照）。

3　手続の教示

差押禁止債権の範囲の変更の制度がほとんど機能していない原因として，債務者がそもそもこの制度の存在を知らないのではないかとの指摘もあった。そこで，この制度を利用しやすくするという観点から，裁判所書記官が，差押命令を送達するに際し，債務者に対して，差押禁止債権の範囲の変更の申立てをすることができる旨等を教示し，この手続を申立てる機会を実質的に保障することとされた（民執法145条4項，民執規則133条の2[6]）。

5　債権者の取立権発生時期に関する規律である。この期間経過後であっても，債権者による取立てが完了していなければ差押禁止債権の範囲変更申立てが可能であることに注意。

6　この教示は書面でしなければならないとされている（民執規則133条の2第1項）。

4　第三債務者に対する支払等の禁止について[7]

(1)　差押禁止債権の範囲の変更の申立てがなされた後は，その申立てに対する裁判があるまでの間に第三債務者が支払その他の給付を行うおそれがある。このため，執行裁判所は，職権で，申立人に担保を立てさせて（又は担保を立てさせずに），第三債務者に対し支払その他の給付の禁止を命ずることができる[8]（民執法153条3項）。

したがって，債務者としては，差押禁止債権の範囲の変更の申立てを行うに際し必要があると考えた場合には，裁判所に対して上記の職権の発動を促す上申を行うことを検討すべきであろう。

(2)　また，差押禁止債権の範囲の変更申立てを却下する裁判に対して[9]，債務者は執行抗告を申立てることができる（民執法153条4項）。これと同時に，債務者は強制執行の停止を命ずる裁判を申立てることができる（民執法10条6項）。

第3節　扶養義務等に係る金銭債権の場合の特例

1　民執法155条2項括弧書は，扶養義務等に係る金銭債権について特例を設けており，差押えの対象が給与等の債権である場合であっても，「差押債権者の債権に民事執行法151条の2第1項各号に掲げる義務に係る金銭債権が含まれているときを除く」としている。したがって，この場面における取立権の発生時期は「後ろ倒し」にされず，債務者に対して差押命令が送達された日から「1週間」を経過した時となる。

2　このような例外を設けた理由は，①扶養義務等に係る金銭債権は，その権利実現が債権者の生計維持に不可欠なものであり，速やかにその実現を図る必要があるため，その取立権の発生時期を後ろ倒しにすべきではないと考えられること，②扶養義務等に係る金銭債権の額の算定の際

---

[7]　旧法時に設けられていた制度であるが，改正後においても留意しておくべきである。

[8]　この決定（仮の処分）に対しては不服を申立てることができない（民執法153条第5項）。

[9]　債務者の申立てを認容し，差押命令が全部又は一部取り消された場合には，債権者は，民執法12条1項により執行抗告を申立てることができる。

には，差押禁止債権の範囲の変更において考慮すべき事情である債権者の必要生計費と債務者の資力が既に考慮されていると考えられるため，これを請求債権とする差押えがされた場面においては，一般論としては債務者に対して差押禁止債権の範囲の変更の申立ての機会を保障する実質的な必要性が乏しいと考えられること，であるとされる。

3　なお，差押命令に係る請求債権のうちに扶養義務等に係る金銭債権とそれ以外の一般の金銭債権の双方が含まれている場合の取扱いについては，民執法155条2項は，この場合も特例として扱うこととしており，請求債権のうち扶養義務等に係る金銭債権に基づく差押えに対応する部分のみならず，それ以外の一般の金銭債権に基づく差押えに対応する部分をも含め，当該請求債権全部についての取立権の発生時期を，債務者に対して差押命令が送達された日から「1週間」が経過した時としている。

第4章　転付命令，譲渡命令，配当等の実施に関する見直し

1　金銭債権が差し押さえられた場合の換価の方法としては，差押債権者による取立て（民執法155条）のほか，転付命令（同法159条），譲渡命令等（同法161条），第三債務者の供託・配当等の実施（同法156条，166条）などがあり得る。

　　民執法155条２項により取立権の発生時期を「後ろ倒し」にしたことに伴い，これらの換価方法についても[10]，その効力の発生時期等を見直す必要があるとされた。

2　転付命令及び譲渡命令等については，それぞれ確定した場合に効力が生じる旨が定められている（民執法159条５項，161条４項）。また，配当等を実施すべき時期については，法に特段の規律はないが，通常は，差押えに係る金銭債権についての第三債務者の供託等の配当等の実施事由が生じた場面では，速やかにその手続が実施されることとなる。

　　このような旧民事執行法の規律を前提とすれば，差押禁止債権の範囲の変更を求める債務者は，転付命令若しくは譲渡命令等が確定するまでの期間（執行抗告の申立てがなされない限り，債務者に対してこれらの差押命令が送達された日から「１週間」。民執法10条参照），又は配当等が実施されるまでの短期間に，差押禁止債権の範囲の変更の申立てをしなければならないことになる。しかし，そのような短期間のうちに，債務者が差押禁止債権の範囲の変更を申立てることが困難であると考えられることは，取立権について述べたこと（第3章第1節）と同様である。

3　そのため，取立権の発生時期を後ろ倒しにする趣旨を踏まえ，差押債権者による取立て以外の方法による換価の場面においても，債務者が差押禁止債権の範囲の変更の申立てをする機会をより実質的に保障するため，それぞれ，原則として，給与等の債権が差し押さえられた場合における転付命令の効力の発生時期，譲渡命令等の効力の発生時期，配当等の実施時期を後ろ倒しにし，「債務者に対して差押命令が送達された日

10　差押命令に基づく換価が終了した（取立完了，転付命令確定等）後は差押禁止債権の範囲変更の申立てはできないと解されている。

から4週間が経過」した時とする旨を規定している（民執法159条6項，161条5項及び166条3項）。

　なお，この場合でも，差押債権者の債権に扶養義務等に係る金銭債権が含まれているときは，特例として除かれている。その理由は，取立権において述べたのと同じである（第3章第3節参照）。

第5章　施行日及び経過措置

　本改正法は，附則中の一部の規定を除いて公布の日（令和元年5月17日）から1年を超えない範囲内において政令で定める日から施行することとされ（改正附則1条），令和2年4月1日に施行されることとなった。

　なお，債務者が差押禁止債権の範囲の変更の申立てをしやすくするため，差押債権者の取立権の発生時期を「後ろ倒し」にする旨の規定については，経過措置として，施行日前に申立てられた民事執行の事件に係る金銭債権を差し押さえた債権者の取立権の発生時期については，なお従前の例によることとしている（改正附則3条1項）。その理由は，施行日前に申立てられた民事執行の事件についてこの規定を遡及適用すると，当事者に不測の損害を与え，手続の安定性を害するおそれがあるからとされている。転付命令や譲渡命令等の効力について，また，配当等を実施すべき時期についても，それぞれ，同じ内容の経過措置が設けられている（改正附則同条3項，4項）。

（浅野　永希）

第6章　改正されなかった点

第1節　差押え禁止の範囲の拡張

1　日弁連の提言

　日弁連は2017年1月20日に「財産開示制度の改正等民事執行制度の強化に伴う債務者の最低生活保障のための差押禁止債権制度の見直しに関する提言」を発表し，民事執行法の改正にあたっては民事執行の実効性を確保するとともに，債務者の生活の保障という観点からも制度設計が必要であるとの見解を示した。

　そして，具体的な制度として，まず民執法152条1項1号及び2号所定の各差押禁止債権については，債務者の最低限度の生活を保持するために欠くことができない金額として政令で定める最低限度金額[11]までは全額を差押禁止とする等の立法化を検討すべきと提案された。

2　審議会における議論

　法制審議会でも，この提言を踏まえて弁護士委員から，民執法152条1項各号の債権について，差押禁止の範囲を，現行の規律による範囲に加えて，給料等の4分の3に相当する額が一定の金額に満たないときは一定の金額まで拡張することで，債務者が差押禁止債権の範囲変更の申立てをしなくてもより保護されるようにする考え方が提案された[12]。

　格差社会と言われる状況で，非常に低額の給与のみで暮らす人についてもその給与の4分の1を差し押さえて，その人が申立てをしない限り，差押えが維持されるということで，債務者の最低限度の生活が維持できるのかとい

11　同提言では，①ドイツ民事訴訟法（2011年12月22日現在）が，勤労所得について，債務者の扶養家族数に応じて差押禁止額を定めていることを参考にして，扶養家族数に応じた差押禁止の最低限度額を政令で定める方法と，②家族構成や同一生計の有無について把握しなければならない第三債務者（勤務先）の負担軽減の観点から，債務者の家族数を考慮しない一定の金額を差押禁止額と定める方法が提案されている。

12　部会第9回委員等提供資料「差押禁止債権制度の見直しに関する具体的検討について」1～4頁参照。

う問題意識自体は，委員間でもある程度共有された[13]。

　しかし，債務者が複数の勤務先から給与を得ている場合，差押禁止額の累積により，債務者が必要以上の保護を受けることになること，また，行政と異なり債務者の勤務先や収入の事情を調査できない債権者に範囲変更の申立ての負担を負わせることは困難であること，実際に差押えがなされた場合の配当の手続をどうするかという点が不明確であること，などの問題点が指摘された。

　また，審議会では，「一定の金額」について，弁護士委員から，国税徴収法76条及び同法施行令34条の規定を参考に単身世帯の場合は月額10万円，扶養家族が1人増えるごとに月額4万5000円増額するとの方法や，給与等の額や扶養家族の人数をいずれも考慮しないで一定額を定める（月額10万円）方法，が提案された。

　しかし，給与額や扶養家族の人数に応じて「一定の金額」を定めた場合，債権者は行政と異なり扶養家族に関する情報を収集することが困難であること，また，第三債務者（雇用主）も扶養家族の人数を把握しているとは限らないであろうし，第三債務者に債務者の給与等の額及び扶養家族の人数を踏まえて差押禁止範囲を算定させる負担が過重であるとの問題点が指摘された。

　そこで，まずは今回の法改正を踏まえて運用状況を注視し，差押命令の取消しの申立てを積極的に行ってもなお過酷執行の問題がなくならないということであれば，そのことを立法事実として今後さらに法改正の必要性を検討することが適当であると判断された。

3　国会の附帯決議

　民事執行法改正の国会審議の中で，差押範囲の変更の申立てをこれまでより使いやすくすること，債務者に対して手続の教示を行うことという今回の法改正だけでは債務者に対する過酷執行はなくならないのではないかという点が，改めてクローズアップされた。

　この点を踏まえて，法案成立時の衆参議院各附帯決議4項2は，「差押禁

---

[13]　部会資料16−2「差押禁止債権をめぐる規律の見直しに関する検討(2)」1〜2頁参照

止債権の範囲変更の制度に関し，債務者の財産開示制度の見直しにより，債権者の地位の強化が図られることに鑑み」「給与債権の差押禁止の範囲の定めに関する諸外国における法制度や運用状況に関する調査研究を実施し，必要に応じて，我が国において給与債権の差押禁止の最低限度額の定めを設けることの是非を含め，我が国における法定の差押禁止の範囲についての見直しを検討するよう努めること。」に留意するよう定められた。

第2節　差押禁止債権が振り込まれた預貯金口座の差押えの取消し

差押禁止債権が振り込まれた預貯金口座の差押えの取消しの問題は民事執行法制定の際にも議論されたが，そのときは債務者申立てによる差押禁止債権の範囲変更の一般的な規定（民執法153条）で債務者の保護を図ることとされた[14]。

2017年の上記日弁連提言は，給与・年金・生活保護費など民事執行法その他法令における差押禁止債権に係る給付が，債務者の預貯金口座に振り込む方法により行われた場合における当該預貯金口座に係る債務者の預貯金債権に対する差押えを制限するための制度の立法化[15]を検討すべきであると提案した。

そして法制審議会でも，弁護士委員からこの提言に沿って，差押禁止債権が振込入金された預貯金口座を差し押えられた場合に，債務者の申立てにより差押命令の取消しを認めることが提案された[16]。

しかし，差押禁止債権の受入れ専用の預貯金口座を作ることは，金融機関

14　部会資料9−2「差押禁止債権をめぐる規律の見直しに関する検討」4頁以下参照

15　同提言では，①年金・生活保護費・給与のように，継続的に給付される差押禁止債権の振込がされた預貯金口座に対する差押えがなされた場合に，債務者が執行裁判所に対し，当該預貯金口座への差押禁止債権の振込入金の事実及び金額並びに次期の支払日さえ明らかにすれば，差押禁止の範囲（年金及び生活保護費の場合は全額，給与等債権の場合は所定の方法により算出された金額）を基礎として，差押えの日から次期の支払日までの日数に応じて計算した金額につき，必ず差押えの取消しがされる制度と，②年金・生活保護費等の継続的に給付される社会保障給付に関する差押禁止債権の受入れ専用の預貯金口座の制度を創設し，残高の一定額を差押禁止とする制度が提案されている。

16　部会第9回委員等提供資料「差押禁止債権制度の見直しに関する具体的検討について」5頁参照

全体で巨額のシステム開発が必要となり，金融機関の取引実務上，困難であるとの指摘がなされた。また，「専用口座」の保有を制度的に預貯金者1人1口座に限定しないと，債務者が比較的少ない額の預貯金債権を複数の金融機関に対して有している事案では，差押禁止額のいわば累積により債務者が必要以上の保護を受ける結果となり，問題であると指摘された。

　結局，債務者が最低限度の生活を維持することが困難となるのであれば，民執法153条1項にて，債務者及び債権者の生活の状況等を考慮した上で差押命令を取り消す範囲を個別に判断するのが適切であるとされ，今回の改正は見送られた[17]。

（楠　晋一）

17　中間試案補足説明：77〜78頁

第4編　債権執行事件の終了に関する規律の見直し

◇ポイント◇

1　金銭債権に係る債権執行事件においては，取立可能日から2年経過後，4週間以内に取立届等を提出しないときは，差押命令が取り消されることがあるので，注意が必要である。
2　債権執行事件全般において，債務者への送達ができない場合にも，差押命令が取り消されることがあるので，注意が必要である。

第1章　取立届等が提出されない場合の取消し

1　改正の経緯（問題の所在等）

　債権執行事件においては，差押債権者による取立てを通じて換価・満足が行われることがあるが（民執法155条），このような場面における債権執行事件の終了は，取立ての届出や申立ての取下げといった差押債権者の協力に依存しており，他の強制執行事件と比べて事件の終了をめぐる規律が不安定であった。

　具体的には，債権執行は，換価と満足の過程を私人である差押債権者による取立てに委ねているところ，その進行状況を執行裁判所が把握するために，差押債権者は，第三債務者から支払を受けたときは，直ちにその旨を執行裁判所に届け出なければならないとされており（民執法155条3項），差押債権者が差押債権の全部を取り立てた後，その旨の届出（取立届・取立完了届）を提出した時に事件が終了することになる。しかしながら，差押債権者がこの届出を懈怠したとしても，何ら制裁は設けられておらず，執行裁判所としては，事件を終了させる方法がなかった。

　また，差押債権が不存在又はその額が極めて少額である等の事情によっ

て，差押債権者により全部又は一部の取立てが行われないこともあった。この場合に事件を終了させるためには，差押債権者による申立ての取下げ（差押債権者が差押債権の一部を取り立てたものの，その残部の取立てが行われない場合は，取立てを行った旨の届出に加え，残部について申立ての取下げ）が必要となるところ，差押債権者に申立ての取下げ義務はなく，執行裁判所としては，事件を終了させる方法がなかった。

　現在，取立ての届出も申立ての取下げもなされないまま長期間放置されている事件（長期未済事件）が多数存在しているとされる。例えば平成30年度の司法統計では，未済事件９万4630件のうち２年超の事件が３万4397件（約36.3％），５年超の事件が１万4181件（約15.0％），10年超の事件が3017件（約3.2％）となっている（これに対し，既済事件11万7161件のうち10万5856件（約90.4％）は２年以内に終了しており，２年超の事件は１万1305件（約9.6％），５年超の事件は5589件（約4.8％）である。勿論，敷金返還請求権や給料債権の差押えのように長期化がやむを得ない場合もある。）。

　取立てがなされない場合については，第三債務者は供託（民執法156条）できるとはいえ，その権利を行使しない限り，長期間にわたって差押えの拘束を受け続けることとなる。具体的には，預貯金債権の差押えの場面において，第三債務者である金融機関は，差押えの対象である預貯金口座を，通常の預貯金口座とは別に管理し，債務者において預貯金を引き出せないようにする措置を講じるところ，このような特別の口座管理には様々な事務的な負担が伴うとされている。

　また，執行裁判所にとっても，管理すべき事件が増え続けることになりかねず，その管理コストも看過できない。

　さらに，平成29年改正後の民法においても時効の完成猶予及び更新について，強制執行が終了した時から新たに時効が進行するところ（民法148条１項１号，２項），債権執行が終了しないことにより，請求債権の消滅時効がいつまでも進行しないこととなる。

　民事訴訟においては，当事者の不熱心な態度により事件が放置されることを防止するための規律が整備されていること（民訴法244条，263条）も踏まえ，これらの問題を防止するため，差押債権者が取立権を行使しない場合の取消し制度が創設された。

2　新法の概要等

⑴　差押債権者の義務

　差押債権者は，金銭債権を取り立てることができることとなった日（取立権発生日[1]）から起算して，第三債務者から支払を受けることなく２年を経過したときは，支払を受けていない旨を執行裁判所に届け出なければならないものとされ（民執法155条５項），取立可能日から２年経過後，４週間以内に取立届又は支払を受けていない旨の届（以下「５項届」という。）を提出しないときは，執行裁判所は，差押命令を取り消すことができるものとされた（同条６項）。２年の期間が経過する前に差押債権者が一部取立届又は５項届を提出したときは，改めて，これらの届を提出したときから２年の期間が起算されることになる（同条５項かっこ書）。なお，令和２年３月31日までに取立権が発生した債権執行事件については，改正法施行日である令和２年４月１日が２年の起算日となる（改正法附則３条２項。第３章参照）。

　このような差押債権者の届出義務及び制裁については，債権執行事件における差押債権者の執行共助機関としての性質から正当化される。

⑵　救済措置等

　差押債権者が届出義務の履行を失念してしまうことへの救済措置ないし対応策としては，まず，執行裁判所が取消決定（民執法155条６項）をするにあたり，裁判所書記官が，あらかじめ，差押債権者に対し，電話等相当の方法により，取立届又は５項届を提出しないときは差押命令が取り消されることとなる旨を通知（取消予告通知）することとなっている（民執規則137条の３）。さらに，差押債権者が取消決定の告知を受けてから１週間の不変期間内に一部取立届又は５項届を提出したときは，取消決定は効力を失う（同条７項。差押債権者において執行抗告（民執法12条１項）を申し立てる必要はないとされている。）。

　なお，取消決定が確定したときは，債務者に対して告知（民執規則２条

1　債務者に対して差押命令が送達された日から１週間（ただし，民執法155条２項の規定により読み替えられる場合には４週間）を経過した日である。差押えに係る金銭債権に期限が付されている等の理由により直ちに取立てができない場合であっても，あくまで起算点は取立権が発生した日となる。

１項２号）され，第三債務者に通知されることになる（民執規則136条３項）。

⑶　消滅時効

　強制執行がされた場合は，その事由の終了まで請求債権に係る時効の完成は猶予され（民法148条１項１号），強制執行の終了の時において時効が更新され，新たに時効期間が進行することになる（民法148条２項）。

　もっとも，民法148条２項ただし書によると，強制執行の終了が「法律の規定に従わないことによる取消し」によるときは時効の更新の効果が生じず，強制執行の終了の時から６か月を経過するまで時効の完成が猶予されるに過ぎないとされている。

　この点，民執法155条６項による差押命令の取消しは，あくまで，債権の差押え後に差押債権者が長期間にわたり取立ての届出をしない場合に執行裁判所が職権で事件を終了させるためのものであり，差押命令の申立てが法律の規定に従わないことを理由とするものではない[2]。したがって，同項による差押命令の取消しは，「法律の規定に従わないことによる取消し」には該当せず，取消命令が確定した時点で時効が更新され，新たに時効期間が進行すると考えられる。

　他方，取消予告通知を受けて取り下げた場合には，民法148条２項により，取下げから６か月を経過するまで時効の完成が猶予されるに過ぎない。

3　弁護士代理人における留意点

取立権発生日から２年間という期間は，瞬く間に経過するとともに，事件の存在，係属を失念し得るに十分な期間ともいえ，注意が必要である。上述のように，取消予告通知（民執規則137条の３）や，取消決定の告知を受けてから１週間の不変期間内に取立届又は５項届を提出することによる取消決定の失効制度（民執法155条７項）はあるものの，時間的余裕がないことから，取立可能日から２年経過までにしかるべく対応をする必要がある。すな

2　不動産執行において無剰余を理由として63条により競売手続が取り消された場合，「法律の規定に従わないことによる取消し」には該当せず時効中断効は失われないとしたものとして水戸地判平成７年７月10日金法1447号：55頁がある。

わち，事情により取立てに時間を要し，執行事件を係属させる必要がある場合は，2年の経過を待たず，例えば，半年又は1年毎に5項届を提出すること等を検討する必要がある（なお，5項届の提出にあたっては，当然のことながら，支払はないものの取下げをしない正当な理由の有無について検討する必要がある。）。

　また，差押債権が不存在又は少額の場合には，速やかに依頼者と協議して，回収を断念して申立てを取り下げるのか否か検討すべきである。

　執行事件は，申立て後の期間の経過とともに，事件の存在・係属を失念しがちでもあり，主担弁護士の退所等もあり得るから，事務所又は弁護士として，事件の管理体制には十分留意する必要があろう。

　消滅時効については，前記2⑶のとおり，裁判所により取り消された場合は，取消決定が確定した時点で時効が更新され時効期間が新たに進行するが，取り下げた場合には取下げから6か月を経過するまで時効の完成が猶予されるに過ぎないことにも注意が必要である。

（田中　智晴）

第2章　債務者への差押命令が送達されない場合の取消し

1　改正の経緯（問題の所在等）

　前述の債権が差し押さえられたまま漫然と長期間が経過するという事態は，実務上は，債務者に対する差押命令の送達が未了の場面でも生ずることがある。例えば，差押命令が第三債務者に送達され，差押えの効力が生じたものの（旧民執法145条3項，4項），差押債権者が債務者の所在調査に不熱心であることなどにより，差押命令が債務者には送達されないままとなるような事案である。

　債権者の立場から考えると，債権執行の場面においても，債務者への送達が問題となることがあり，債務者の所在調査に苦労することも少なくない。他方，債務者への送達未了の段階で，先に差押命令の送達を受けた第三債務者の陳述（民執法147条）により差押債権が少額であることが判明した場合などには，差押債権者としては，債務者に差押命令を送達するための所在調査を行う意欲を失いがちである。他方，平成29年改正民法（平成29年法律第44号。いわゆる債権法改正）の施行前の時効制度を前提とした判例であるが，債務者への送達が未了であっても請求債権の消滅時効は中断する（最一小判令和元年9月19日民集73巻4号438頁・判タ1468号36頁）。その結果，債務者への差押命令の送達が未了のままで執行事件が放置されることが生じうる。

　しかし，このような場合，差押命令が第三債務者に送達されている以上，差押えの効力は生じているが（旧民執法145条4項，民執法145条5項），差押債権者による取立権は未発生であるため（民執法155条1項），前記第1章の改正法の規律を適用することはできず，換価・満足の手続を進行させることができない状態が長期間継続することとなりかねない問題があった。

2　新法の概要等

　そこで，新法は，訴状送達に関する規律（民訴法138条2項，137条2項）を参考にして，執行裁判所は，債務者に対する差押命令の送達をすることができない場合には，差押債権者に対し，相当の期間を定め，その期間内に債務者の住所，居所その他差押命令の送達をすべき場所の申出（送達をすべき

場所が知れないとき等には，公示送達の申立て）をすべきことを命じることができることとし（補正命令。民執法145条7項），それでもなお，差押債権者がその申出をしないときは，執行裁判所は，差押命令を取り消すことができることとした（民執法145条8項）。

　なお，実際の運用においては，訴訟手続において被告に訴状を送達することができなかった場合と同様，直ちに民執法145条7項の命令を発するのではなく，まずは，執行裁判所の裁判所書記官が，差押債権者に対し，債務者の住所の調査等を促すのが相当であるとされているところである[3]。

　また，少額訴訟債権執行についても以上の規定が準用される（民執法167条の5第2項）。

3　弁護士代理人における留意点

　本章の取消制度は，前記第1章の取消制度とは異なり，金銭債権を差し押さえた場合に限らず債権執行事件全般に適用される。

　また，改正法施行日（令和2年4月1日）以前に申し立てられた債権執行事件についても適用される（改正法附則1条）。

　債務者への送達が未了となった事件については，第三債務者の陳述（民執法147条）の結果を踏まえて，所在調査を行うのか，申立てを取り下げるのか，差押債権者及びその代理人においては速やかに検討を行うべきこととなる。

---

[3]　内野ほか・金法2126号：37頁，内野ほか・Q&A：366頁注2

第3章　施行日及び経過措置

　今般の改正執行法の施行日は令和2年4月1日（改正法附則1条・平成30政令338号）であるところ，前記第1章の新たな取消制度は，改正法施行日（令和2年4月1日）以前に取立権が発生した債権執行事件についても適用される。なお，その場合の2年の起算日は，取立可能日ではなく，施行日（令和2年4月1日）である（改正法附則3条2項）。

　したがって，改正法施行前からの継続事件であっても施行日以前に取立権が発生している事件については，令和4年4月1日までに取立届又は新法155条5項による届出（5項届）の提出をチェックすべきこととなる。

　また，前記第2章の新たな取消制度は，金銭債権を差し押さえた場合に限らず債権執行事件全般に適用され，また，改正法施行日（令和2年4月1日）以前に申し立てられた債権執行事件についても適用される（改正法附則1条）。

第4章　その他の関連問題

1　不動産に対する強制執行事件の終了に関する規定の要否

　今回の民事執行法改正の過程では，不動産執行事件についても，前記第2章の取消制度と同様の規律を設けるべきか議論された。

　もっとも，この点については，不動産執行事件においては，現状，差押命令の送達困難を理由として長期間にわたって漫然と放置されている事件が多数存在するものでもなく，新たな仕組みを整備する必要性があるとはいえないとの判断のもと，最終的には法改正や立法化には至らなかった。ただし，不動産執行事件の場面においては，債権者が債務者の送達場所の補正に応じなかったために不動産競売開始決定を取り消した裁判例（東京地決平成3年11月7日金法1314号31頁）が存在し，同裁判例のような解釈が否定されたわけではないので，債権者代理人としては，不動産執行事件においても個別の事情によって取消しがあり得ることに注意すべきである。

2　債権仮差押命令事件の終了に関する規定の要否

　その他，今回の民事執行法改正の過程では，債権執行事件と同様に，債権仮差押命令事件についても，前記第1章ないし第2章の取消制度と同様の規律を設けるべきか議論された。

　もっとも，この点についても，債権仮差押命令事件においては，債権者による取立て等による換価・満足は予定されておらず，仮差押命令が第三債務者に送達されれば仮差押えの効力を生じ（民保法50条5項，民執法145条5項），債務者への送達前であっても保全執行をすることができるとされていること（民保法43条3項），民事保全法上は起訴命令（民保法37条1項）や保全取消しの制度（同法37条3項，38条）が用意されていること等からも，前記第1章ないし第2章の場面と異なり，事件が終了せずに漫然と放置されるといった事態は生じないと考えられ，法改正や立法化には至らなかった。

（北井　歩）

第5編　不動産競売における暴力団員の買受け防止に関する規定の新設

◖ポイント◗

不動産競売手続に関する改正法のポイントは，次の4点である。

1　**暴力団員等の不動産買受け資格の制限**

暴力団員，元暴力団員，法人でその役員に暴力団員等に該当する者があるものは，不動産競売の買受け資格がないものとする。

2　**警察に対する調査の嘱託**

裁判所は，原則として，最高価買受申出人が暴力団員等に該当するか否かについて，都道府県警察本部に調査を嘱託する。

3　**暴力団員等ではないことの陳述**

買受申出人は，自分自身又は自己の計算において買受けの申出をさせようとする者が暴力団員等ではない旨の陳述をしなければならない。

4　**違反行為に対する刑事罰**

改正法の上記規制に違反する行為は刑事罰の対象となる。

第1章　改正の理由，経過

第1節　概要

2019年（令和元年）5月10日に成立した「民事執行法及び国際的な子の奪取の民事上の側面に関する条約の実施に関する法律の一部を改正する法律」（以下「改正法」という。）の一つの柱として，「不動産競売における暴力団員の買受け防止に関する規定」が新設された。

第 2 節　改正の理由

　近年，民間では，不動産取引の分野において，不動産売買契約書に暴力団
排除条項を規定するなどの措置が講じられるようになり，都道府県でも，暴
力団排除条例を制定し，不動産取引の相手方が暴力団員ではないことを確認
する努力義務に関する規定が設けるなど，官民を挙げて暴力団排除の取組が
行われている。

　ところが，旧民事執行法による不動産競売においては，暴力団員であるこ
とを理由として不動産の買受けを制限する規律が存在しなかった。

　そのため，不動産競売において買い受けた建物を暴力団事務所として利用
する事例や，その転売により高額な利益を得た事例などがあることに対し
て，厳しい批判が向けられてきた[1,2]。

　そこで，このような暴力団排除の取組の一環として，暴力団への不動産の
供給源を断ち，市民生活の平穏を確保するという観点から，暴力団員の買受
けを防止するための方策を検討する必要があるとして，民事執行法は上記規
定を新設した。

第 3 節　改正の経過

　ここでは，今回の改正法における「不動産競売における暴力団員の買受け
防止に関する規定」の新設へ向けた日本弁護士連合会の民事介入暴力対策委
員会の活動を紹介させていただきたい。

1　警察庁の調査によれば，平成29年 6 月現在で，全国の暴力団事務所約1700か所のう
　ち，競売の経歴を有する暴力団事務所の数は約200か所であった（2019年（平成31年）
　4 月 2 日衆議院法務委員会藤村政府参考人の回答）。
　　2009年（平成21年）に日本弁護士連合会民事介入暴力対策委員会が調査した際には，
　暴力団事務所235件の登記情報のうち，24件の取得原因が競売又は公売であった。
2　日本弁護士連合会は，2013年（平成25年） 6 月21日に「民事執行手続及び滞納処分
　手続において暴力団員等が不動産を取得することを禁止する法整備を求める意見書」を
　公表し，関係各機関に対し，民事執行手続において暴力団員等が不動産を買受けること
　の禁止を求めていた。

　同委員会は，2012年（平成24年）6月から小島浩一弁護士（岐阜県弁護士会）を主任として，不動産競売からの暴力団排除のための民事執行法の改正案の研究を本格的に開始し，この研究の成果は，2013年（平成25年）6月21日日弁連「民事執行手続及び滞納処分手続において暴力団員等が不動産を取得することを禁止する法整備を求める意見書」として公表された。

　同年7月12日に開催された第78回民事介入暴力対策岐阜大会では，『不動産から暴力団排除』をテーマとする発表がされ，この中でも「不動産競売からの暴力団排除」に関する民事執行法の改正案が説明された。

　その後も，同委員会の小島浩一弁護士及び大野徹也弁護士（東京弁護士会）を中心として，具体的な立法へ向けて精力的な活動が行われ，これらの活動が改正法における「不動産競売における暴力団員の買受け防止に関する規定」の新設として結実したものである[3]。

3　両弁護士が執筆した文献として，小島浩一「不動産競売における暴力団の買受け防止の方策」山本ほか・論点解説：147頁，大野徹也「不動産競売における暴力団員の買受け防止」自由と正義70巻12号：23頁，同「不動産競売における暴力団員の買受け防止に関する規定の新設」ひろば72巻9号：24頁，大野ほか「不動産競売における暴力団員の買受け防止」東京弁護士会法友会編『Q&A改正民事執行法の実務』（ぎょうせい，2020年）：82頁

第2章　新設された規定の概要

新設された規定の概要は，次の4点である。

①　暴力団員等の不動産買受け資格の制限

　　暴力団員，元暴力団員（暴力団員でなくなった日から5年を経過しない者。以下「暴力団員」とあわせて「暴力団員等」という。），法人でその役員に暴力団員等に該当する者があるものは，不動産競売の買受け資格がないものとする。

　　最高価買受申出人が暴力団員等に該当する場合には，売却不許可事由とされ，裁判所は売却不許可決定をする。

②　警察に対する調査の嘱託

　　執行裁判所は，原則として，最高価買受申出人が暴力団員等に該当するか否かについて，都道府県警察本部に調査を嘱託する。

　　例外として，最高価買受申出人が宅地建物取引業者等である場合には，警察への調査の嘱託は不要となる。

③　暴力団員等ではないことの陳述

　　買受申出人は，自分自身又は自己の計算において買受けの申出をさせようとする者が暴力団員等ではない旨の陳述をしなければならない。

　　この陳述は，買受申出人が入札をする際に必要となる。

④　違反行為に対する刑事罰

　　改正法の上記規制に違反する行為は刑事罰の対象となる。

　以下，それぞれを説明する。

第３章　買受け資格の制限の対象

第１節　概要

　民事執行法は，最高価買受申出人又は自己の計算において最高価買受申出人に買受けの申出をさせた者（以下，これらをあわせて「最高価買受申出人等」という。）について，執行裁判所は，次に掲げる事由があると認めるときは，売却不許可決定をしなければならないとした（民執法71条５号）。

①　暴力団員等（暴力団員又は暴力団員でなくなった日から５年を経過しない者（民執法65条の２第１号））

②　法人でその役員のうちに暴力団員等に該当する者があるもの

第２節　暴力団員及び元暴力団員

1　暴力団員及び元暴力団員

　民事執行法は，買受け資格がない者として，暴力団員と元暴力団員をあげる（民執法71条５号イ，65条の２第１号）。ここでいう「暴力団員」とは，暴力団員による不当な行為の防止等に関する法律（平成３年法律77号，以下「暴力団対策法」という。）２条６号に規定する「暴力団員」である（民執法65条の２第１号）。暴力団対策法２条は，その団体の構成員（その団体の構成団体の構成員を含む。）が集団的に又は常習的に暴力的不法行為等を行うことを助長するおそれがある団体を「暴力団」と定義し（同条２号），この暴力団の構成員を「暴力団員」とする（同条６号）。

　民事執行法は元暴力団員も買受け資格がないものとした。同法は，規制の対象となる元暴力団員を「暴力団員でなくなつた日から５年を経過しない者」とする。

　ここで，元暴力団員を暴力団員でなくなった日から「５年」を経過しない者と定められたのは，宅地建物取引業法などの他の法令において，免許等の

欠格要件として，同様の規律が定められていること[4]，社会的な実態として暴力団からの離脱を偽装する者も少なくないことを考慮したものである。

2　「指定暴力団員」との関係

　民事執行法は，規制の対象となる「暴力団員」が所属する暴力団を「指定暴力団」とはしていない。およそ「暴力団員」であれば，「指定暴力団」に所属する暴力団員でなくとも，買い受けた不動産が暴力団事務所として利用され，近隣住民の平穏な生活に悪影響を及ぼすおそれがあることに変わりはないからである[5]。

　暴力団対策法によれば，「指定暴力団」とは，同法3条により指定された暴力団をいい，同法3条では暴力団の「指定」について，①実質目的，②犯罪経歴保有者の比率，③階層的構成を要件として，「都道府県公安委員会は，…当該暴力団を，その暴力団員が集団的に又は常習的に暴力的不法行為等を行うことを助長するおそれが大きい暴力団として指定する」とされている[6]。

　また2018年（平成30年）警察白書によれば，平成29年末における全暴力団構成員数（約1万6800人）に占める指定暴力団構成員数（約1万5900人）の比率は94.6％であるとされる[7]。

　そこで，民事執行法が規制の対象となる「暴力団員」が所属する暴力団を「指定暴力団」に限定する方法を採用してもほとんどの暴力団員を規制できるのではないか，「指定暴力団」とする方が規制対象は明確ではないかとの批判も想定される。

　しかしながら，指定暴力団が分裂して，分裂後の暴力団を「指定」するま

4　他の法令の例としては，宅地建物取引業法5条1項7号，建設業法7条3号，廃棄物の処理及び清掃に関する法律14条5項2号ロ，労働者派遣事業の適正な運営の確保等に関する法律6条，貸金業法6条1項6号，特定非営利活動促進法20条5号，公益社団法人及び公益財団法人の認定等に関する法律6条，警備業法3条，風俗営業等の規制及び業務の適正化等に関する法律4条1項3号，自動車運転代行業の業務の適正化に関する法律3条4号など

5　内野ほか・Q&A：177頁

6　暴力団対策法における「指定」の主な法律効果としては，①指定暴力団員による暴力的要求行為に対する中止命令（暴力団対策法9条），②指定暴力団の代表者等の損害賠償責任の拡大強化（同法31条，31条の2）を挙げることができる。

7　2018年（平成30年）警察白書：133頁

でにタイムラグが生じてしまう近時の事例を考慮するときには，このような
タイムラグを利用した法規制の潜脱を防止する必要があると考えられるか
ら，今回の法改正で規制の対象となる「暴力団員」が所属する暴力団を「指
定暴力団」に限定しなかったことは相当であると考える。

第3節　法人の場合

　民事執行法は，「法人でその役員のうちに暴力団員等に該当する者がある
もの」についても，買受け資格を制限した（民執法71条5号ロ）。
　近時，暴力団はいわゆるフロント企業などの法人を利用して活動すること
があり，現実に暴力団事務所の不動産の所有名義が暴力団と関連するとみら
れる法人名義となっている事例も存在するから，これは当然の規律である。
　この法人の「役員」の具体的な範囲については，民事執行法には明確な定
めがないが，「その法人の種類に応じて，その業務の執行等に係る権限の有
無といった観点から，当該法人の設立根拠法等の内容を踏まえた解釈により
判断されることになるものと考えられる」「例えば，株式会社であれば，取
締役，監査役，会計参与及び執行役がこれに該当する」とされている[8]。

第4節　暴力団員等の計算による場合

　民事執行法は，暴力団員等の計算において最高価買受申出人に買受けの申
出をさせた者についても買受け資格を制限することとした（民執法71条5
号）。
　暴力団員等の「計算」においてという規律が設けられたのは，暴力団への
不動産の供給源を断つという目的を達成するためには，暴力団員等が第三者
を利用して不動産の買受けをすることを防ぐ必要があるからとされる[9]。
　端的に言えば，この規律がなければ，暴力団員が資金を提供して，暴力団
員でない者をダミーとして買受け申出をさせることが可能となってしまうと
ころ，このような事態を防ぐには暴力団員等の「計算」においてという規律

8　内野ほか・金法2122号：36頁，37頁，内野ほか・Q&A：181頁
9　内野ほか・金法2122号：36頁，37頁

が必要不可欠となると理解すればよい。

　暴力団員等の「計算」の認定が困難ではないかとの問題に対する私見は，後述する。

第5節　準構成員や配偶者等について

　民事執行法は，暴力団の「準構成員」，暴力団員等と「生計を一にする親族」，暴力団員等と「密接な関係を有する者」を買受け資格の規制対象とはしなかった。また，暴力団員等が「実質的に支配する法人」を規制対象とする方策も採用していない。

　これは，これらの者に該当するかどうかを判断するには様々な事情を総合的に考慮して判断する必要があると解され，迅速性が要求される不動産競売手続の過程でその判断資料を得ることは，現在の実務上困難ではないかとの考慮に基づく[10]。

　ただし，これらの者が暴力団員等から資金提供を受けて買受けの申出をする場合には，暴力団員等が「自己の計算において」買受けの申出をしたとして規制が可能である[11]。

　さらに，暴力団員等が準構成員や配偶者らを利用して買受けの申出をする事例に対しては，後述するように，これらの者に対し，事後的に刑事処罰をすることによって対応することができる。

---

[10]　内野ほか・金法2122号：36頁，38頁，内野ほか・Q&A：185頁
[11]　内野ほか・金法2122号：36頁，38頁，内野ほか・Q&A：185頁，183頁

第4章　警察に対する調査の嘱託

第1節　概要

　原則として，執行裁判所は，最高価買受申出人の暴力団員等への該当性について，都道府県警察に調査を嘱託しなければならない（民執法68条の4第1項）。

　例外として調査の嘱託が省略されるのは，最高価買受申出人が，宅地建物取引業者である場合又は債権回収会社（いわゆるサービサー）である場合である。

第2節　警察に対する調査の嘱託

　執行裁判所が最高価買受申出人（その者が法人である場合にあっては，その役員。）が暴力団員等に該当するか否かを判断するには，そのような判断を可能とする資料が不可欠である。

　ただし，執行裁判所自身の調査によってこのような資料を得ることは困難と考えられる。

　都道府県警察は，暴力団に関する専門的知見を有しており，現に関係機関等から，ある者が暴力団員等に該当するか否か等の照会がされた場合における回答の実績を有していることから[12]，都道府県警察が有する知見を利用することが適切であると考えられる。

　そこで，民事執行法は，執行裁判所は，最高価買受申出人（その者が法人である場合にあっては，その役員。）が暴力団員等に該当するか否かについて，必要な調査を執行裁判所の所在地を管轄する都道府県警察に嘱託しなけ

---

[12]　都道府県警察による回答の実績として，例えば，宅地建物取引業法は5条1項7号で暴力団対策法2条6号に規定する暴力団員又は同号に規定する暴力団員でなくなった日から5年を経過しない者を同法に基づく宅地建物取引業の免許の欠格事由とするところ，都道府県知事等は免許に際し，申請者がこの暴力団員等に該当するかどうかを都道府県警察に照会し，その回答を得ている。

ればならないとした（民執法68条の4第1項）。

第3節　調査の嘱託が省略される場合

例外として調査の嘱託が省略される場合を法文で説明すると，最高価買受申出人が，暴力団員ではないことを許認可等の要件とする法令に基づく事業者である場合であって，かつ，これらの事業者のうち最高裁判所が指定するものに該当するときとなる（民執法68条の4第1項ただし書，民執規則51条の7）。

この「最高裁判所が指定するもの」としては，宅地建物取引業者と債権回収会社（債権管理回収業に関する特別措置法3条の法務大臣の許可を受けた株式会社）が指定された[13]。

宅地建物取引業者や債権回収会社は，役員らが暴力団員等でないことが事業の免許や許可の要件とされ，また実際の運用としても適切に資格の審査が行われているとみられるから，宅地建物取引業者等については，改めて都道府県警察に暴力団員等の該当性の調査を嘱託すべき必要性が乏しいとして，調査の嘱託の省略を認めたものである。

第4節　執行裁判所の判断方法

1　判断方法

最高価買受申出人が暴力団員等に該当するかどうかを執行裁判所が判断する方法は，次のとおりである。

暴力団員等への該当性の審査は証拠調べと位置付けられ，理論的には裁判所は次に述べる様々な証拠資料から自由心証に基づき暴力団員等への該当性を審査することになる。

この証拠調べにおける基礎資料としては，以下のものが予定されている。

①　買受申出人が提出した自らが暴力団員等ではない旨の陳述書（後述）
②　調査嘱託に対する警察からの回答書

---

[13]　令和2年（2020年）3月27日最高裁判所告示1号

　③　競売事件の一件記録（競売申立書，現況調査報告書，評価書，物件明
　　細書等）

　④　関係者の審尋の結果（民執法5条）[14]

　ただし，実務的には，②の警察からの回答書がベストエビデンスとなるも
のと思われる。

　そのため，本制度の実効性を確保するには，最高価買受申出人が暴力団員
等か，また当該買受申出が暴力団員等の「計算」かを都道府県警察がいかに
正確に，あらかじめ調査を積み重ね，また裁判所からの調査嘱託後にも慎重
に調査をするかが極めて重要である。

2　暴力団員等の該当性の判断の基準時

　執行裁判所が最高価買受申出人の暴力団員等への判断をする基準時がどの
時点か，買受申出時か，売却許可決定時かが問題となる。

　例えば，買受申出時には暴力団員ではなかった者が売却許可決定時までに
暴力団に参加した場合や買受申出時に暴力団員でなくなった日から5年を経
過していなかったが，売却許可決定時には5年を経過した場合をどのように
取り扱うかという問題である。

　結論として，民事執行法は，買受申出時と売却許可決定時のいずれかにお
いて最高価買受申出人が暴力団員等であれば，売却不許可決定をする。

　同法は，最高価買受申出人の欠格事由を「暴力団員等（買受けの申出がさ
れた時に暴力団員等であつた者を含む。）」「法人でその役員のうちに暴力団
員等に該当する者があるもの（買受けの申出がされた時にその役員のうちに
暴力団員等に該当する者があつたものを含む。）」と定めて（民執法71条5
号），この旨を明らかにしている[15]。

3　売却決定期日の指定に関する改正

　民事執行規則は，裁判所書記官が売却決定期日を指定するときに，やむを
得ない事由がある場合を除き，入札期日（期日入札の場合）又は開札期日（期
間入札の場合）から1週間以内の日を指定しなければならないとされていた

14　内野ほか・Q&A：206頁
15　内野ほか・Q&A：208頁

ものを，3週間以内の日と改正した（民執規則35条2項，46条2項）。

　これは，執行裁判所が都道府県警察への調査の嘱託をして回答を得るために必要な期間を考慮したものである。

第 5 章　暴力団員等ではないことの陳述

第 1 節　陳述の内容

　不動産の買受けの申出をしようとする者は，その者自身又は自己の計算において当該買受けの申出をさせようとする者（その者が法人である場合には，その役員）が暴力団員又は暴力団員でなくなった日から 5 年を経過しない者でない旨の陳述をしなければならない（民執法65条の 2 ）。

　この暴力団員等ではないことの陳述の制度は，民間の契約締結時に，自己又は役員が暴力団員等ではない旨の誓約書を求める取扱いを参考としたものである。

第 2 節　陳述の方式

　陳述の方式としては，次の表に掲げる書類の提出を求める規律が定められた（民執規則49条，38条 7 項，31条の 2 ）。

	必要書類	記載事項	備　考
【個人の場合】	陳述書 （買受申出人等が記名押印）	買受申出人等の住所，氏名・振り仮名，生年月日，性別	
	住民票の写し（原本） （発行 3 か月以内のもの）		その他のその氏名，住所，生年月日及び性別を証するに足りる文書も可 例　戸籍謄本及び戸籍附票
【法人の場合】	陳述書 （代表者が記名押印）	（陳述書表紙） 法人の名称，主たる事務所の所在地，代表者の記名 （別紙役員事項） すべての役員の氏名・振り仮名，住所，生年月日，性別	役員の範囲の例 ・株式会社，有限会社…取締役，監査役，会計参与，執行役 ・持分会社…社員 役員が法人の場合は当該法人の役員も陳述が必要
	代表者資格証明書（原本） （発行 3 月以内のもの）		

　＊　宅地建物取引業者の場合は，上記の各書類に加え，次の書類も必要となる。

事業の免許証の写し		警察への調査の嘱託を省略される事業者の場合である。 ・開札期日において有効期間内のものであることが必要。 ・提出がなくとも入札は無効にならないが，警察への調査嘱託は必要となる。

　これらの陳述書の書式については，BIT 不動産競売物件情報サイトで公表されているので，これを本書の巻末の書式集に引用させていただき紹介する[16]。

　①陳述書（買受申出人（個人）本人用）

　②陳述書（買受申出人（法人）代表者用）

　③陳述書別紙（買受申出人（法人）の役員に関する事項）

　④陳述書別紙（自己の計算において買受けの申出をさせようとする者に関する事項）

　⑤陳述書別紙（自己の計算において買受けの申出をさせようとする者（法人）の役員に関する事項）　　　　　　　　　　　（以上，巻末書式〔83〕）

第3節　陳述をしない場合の効果

　民執法65条の2は「不動産の買受けの申出は…（暴力団員等ではない旨を）…最高裁判所規則で定めるところにより陳述しなければ，することができない。」と規定する。

　そこで，暴力団員等ではない旨の陳述をせずに買受けの申出をした場合は，この買受けの申出は無効となり，提出すべき陳述書の記載事項の記載を欠いた場合も同様であると考えられる[17]。

16　同サイトの「手続案内」の「入札等の手続について」から入手可能。

17　内野ほか・Q&A：191頁

第6章　売却不許可決定又は許可決定に対する不服申立て

第1節　売却不許可決定に対する不服申立て

　売却の不許可又は許可の決定に執行抗告ができるのは，「その決定により自己の権利が害される」者とされている（民執法74条1項）。

　そこで，例えば最高価買受申出人が暴力団員であることを理由とする売却不許可決定に対して，当該最高価買受申出人は，執行抗告をすることができると考えられる。

　また，この場合に最高価買受申出人が実は暴力団員ではないと考える差押債権者も，債権回収という強制執行の目的が達成できないという不利益を受けるから，執行抗告をすることが可能と解される[18]。

　これに対し，債務者は，積極的に売却を求める地位にはなく，売却不許可決定により自己の権利が害されるとはいえないと考えられ，執行抗告をすることができないと考えられる[19]。

第2節　売却許可決定に対する不服申立て

　執行裁判所が売却許可決定をした場面で，最高価買受申出人が暴力団員であることを理由として執行抗告をして，売却不許可決定を求めることができる者が存在するか。

　債務者は，原則として，執行抗告できないと考えられる。

　暴力団員である最高価買受申出人に売却許可決定がされた場面において，最高価買受申出人が暴力団員でなければ売却価格がより高額となり債務が減少する見込みがあって，「自己の権利が害される」とまでは一般的にはいえないからである。ただし，例えば，暴力団員である最高価買受申出人が他の入札希望者を威迫してより高額の買受申出を妨害したような事例では，例外的に債務者が執行抗告できる余地があると考える。

18　内野ほか・金法2122号：36頁，41頁
19　内野ほか・金法2122号：36頁，41頁

　次順位者は，執行抗告が可能と考えるべきである。

　最三小決平26.11.4（判時2253号23頁，裁判集民248号39頁）は，無効な入札をした者を最高価買受申出人と定めたとして売却不許可決定がされた場合に，当初の入札までの手続を前提に再度の開札期日を開くこととした執行裁判所の判断には違法がないとする。そこで，次順位者は，最高価買受申出人が暴力団員であることを理由に売却許可決定が無効であるとして再度の入札手続を求めうる地位にあるから，執行抗告ができると考える[20]。

　近隣住民は，執行抗告をすることができないと考えざるを得ない。

　最高価買受申出人が暴力団員であった場面において，近隣住民は平穏な生活環境が侵害されるおそれがあるが，民執法74条 1 項の「自己の権利」とは「（執行抗告のできる裁判によって）直接に不利益を受ける者」と解釈されているところ，近隣住民の「平穏な生活環境を享受する権利」に対する悪影響は「直接の不利益」としては広すぎると考えられるからである。

第 3 節　近隣住民の実務的な救済方法

　民執法が「不動産競売における暴力団員の買受け防止に関する規定」を新設した趣旨は，「暴力団への不動産の供給源を断ち，市民生活の平穏を確保する」ところにある。

　最高価買受申出人が暴力団員であることを警察と執行裁判所が見逃して売却許可決定をしてしまった事例において，近隣住民が執行抗告によって法律上のクレームを主張できないという結論は，「市民生活の平穏を確保する」という上記規定の新設の立法趣旨に反する結果になるのではないか。

　筆者は，将来的にはこのような場面で近隣住民が執行抗告できるように法改正をすべきと考えるが，現時点で暫定的に売却許可決定前において，近隣住民が採りうる救済方法を提案したい。

　買受希望者は対象物件を下見に来ることが少なくなく，その際に近隣住民は「下見に来た者が暴力団関係者ではないか」との疑いを持った場合には，直ちに都道府県警察に通報して，調査を依頼し，執行裁判所からの調査嘱託

に対する回答書にその調査結果を反映してもらうように働きかけるべきである。前述のとおり最高価買受申出人が暴力団員等への該当性に関する執行裁判所の判断にあたっては，警察からの回答書がベストエビデンスとなるものと思われ，最高買受申出人が暴力団員である事実をこのベストエビデンスに反映させるように工夫することが相当である。

　筆者の実務経験でも，暴力団対策法9条に基づく中止命令の発令の過程で警察が暴力団員とは把握していなかった者を筆者らが暴力団員であることを疑わせる具体的事実をあげて警察に通報することによって，警察の調査を経て暴力団員と認定してもらった事例がある。

第7章　違反行為に対する刑事罰

　まず，民執法65条の2の規定により陳述すべき事項について虚偽の陳述をした者に対しては，6月以下の懲役又は50万円以下の罰金に処するとの刑事罰が新設された（同法213条1項3号）。

　また，暴力団員等が暴力団員等に該当しない旨の虚偽の陳述をして不動産を買い受けるに至った場合には，同法213条1項3号の罪が成立するにとどまるものではなく，詐欺罪（刑法246条）や強制執行関係売却妨害罪（刑法96条の4）の成立も考えられる[21・22]。

21　内野ほか・Q&A：194頁
22　京都地判平成21年6月15日（LLI/DB判例秘書登載）は，不動産競売において，買受資格を制限されている債務者が自己の計算で息子に買受申出を行わせ，売却許可決定を受けた事案について，債務者に競売入札妨害罪（現行刑法96条の4の強制執行関係売却妨害罪に対応）の成立を認めている。

第8章　採用されなかった方策─保証金の不返還

　中間試案においては，最高価買受申出人となった暴力団員等が暴力団員等ではない旨の虚偽の陳述をしていた場合に「虚偽陳述に対する制裁」として，「執行裁判所は，当該最高価買受申出人が民事執行法66条の規定により提供した保証の返還を請求することができない旨を決定することができるものとする。」旨の保証金の不返還制度が提案されていた[23]。

　これに対し，競売手続の中で「虚偽陳述」の故意の認定が困難ではないか，虚偽の陳述に対する刑事罰の導入に加えて保証金の不返還制度を導入することは過度な制裁となる懸念があるとの反対意見があり，保証金の不返還制度は採用されなかった[24]。

　しかしながら，筆者は後述する「（不動産競売における暴力団員の買受け防止の）実効性を図るため，必要に応じて更なる対策について検討するよう努めること」という衆議院及び参議院の各法務委員会における附帯決議に基づき，保証金の不返還制度の導入を今後検討すべきと考える。

　理由は次のとおりである。

①　不動産競売における暴力団員の買受け防止制度の実効性を確保する手段として，保証金の不返還は有効であると考えられる。

②　民事執行法上，代金不納付の場合に，保証金の不返還が規定されている（民執法80条1項後段）。買受申出時に買受意思はあったが，その後，何らかの事情で代金の準備ができなかった者と暴力団員であるのにそうではないと陳述した者を比較したときに，後者の方が競売手続に対する悪影響の程度は高いというべきである。

③　中間試案に対するパブリックコメントでは，保証金の不返還制度に賛成する意見が多数であった。国民の多数意思はこの制度の導入を求めるものである[25]。

23　2017年（平成29年）9月8日付け中間試案：5頁

24　2018年（平成30年）2月27日開催第16回法制審議会・民事執行法部会，部会資料16-1

25　2018年（平成30年）1月24日付け法制審議会・民事執行法部会参考資料2：51，52頁

第9章　施行日及び経過措置

　本規定の施行日は，令和2年4月1日である（改正法［令和元年法律2号］附則1条，令和元年政令189号）。

　施行日前に裁判所書記官が売却実施処分をした場合における当該処分の手続については，暴力団員等に該当しないこと等の陳述や都道府県警察に対する調査の嘱託の規定は適用せず，また，この場合における売却不許可事由については，なお従前の例による（改正法［令和元年法律2号］附則2条)[26]。

---

[26]　内野ほか・金法2122号：36頁，42頁，内野ほか・Q&A：375頁

第10章　今後期待される実務の運用

　本改正に際し，国会の審議においても，暴力団員等が第三者に資金提供して，ダミーを利用して自分のかわりに入札させることを防止できるのか，という問題意識が再三にわたり示された。

　この問題意識に対して，改正法は，買受申出時に暴力団員等の計算において買受申出をするものではない旨の陳述を要求すること，暴力団員等の計算において買受申出をする者かどうかを調査嘱託すること，虚偽の陳述に対しては刑事罰に処することをもって，その対策としている。

　ただし，暴力団員等の「計算」であるかどうかを当局が調査の嘱託を受けた時点でパーフェクトに把握できていない事態も想定され，衆議院及び参議院の各法務委員会においても，「不動産競売における暴力団員の買受け防止に関し，本法施行後の実務の運用状況を勘案し，…その実効性を図るため，必要に応じて更なる対策について検討するよう努めること」という旨の附帯決議がされた。

　しかしながら，筆者は，改正法による対策でも，暴力団員がダミーを利用して売却許可決定を受けた事案に対しては，事後的にも当局が調査を尽くすことによって，当該買受申出が暴力団員の計算であった事実が後日判明して，当該暴力団員らに同法213条１項３号の罪だけではなく，詐欺罪や強制執行関係売却妨害罪による処罰がされることを期待することができ，このような実務の運用があれば，暴力団員としても厳しい刑事罰のリスクを予想してダミーを利用する買受申出をあらかじめ見合わせるという事前の抑止効果も期待できると考える。

　特に暴力団員等の「計算」かどうかの調査について，当局の適切な実務の運用を願う次第である。

（田中　一郎）

第6編　子の引渡し
（ハーグ条約実施法改正を含む）

第1章　改正の経過

◆ポイント◆
1　国内の子の引渡しの強制執行に関する明文の規定の新設
2　国際的な子の返還の強制執行について，国内の子の引渡しに関する強制執行同様の規律を採用

第1節　概要

　旧民事執行法には，国内の子の引渡しの強制執行について，固有の明文規定が設けられていなかった。このため，実務では，子の引渡しの強制執行について，間接強制の方法のほか，動産の引渡しの強制執行に関する民執法169条を類推適用し，執行官が，債務者による子の監護を解いて債権者に子を引き渡す直接強制の方法によっても行われてきた。また，旧ハーグ条約実施法の平成26年4月施行後は，国内の子の引渡しの強制執行実務も，事実上同法における子の解放実施の規律に倣うようになっていた。

　このような現状に対しては，子の引渡しを命ずる裁判の実効性を確保するとともに，子の利益に十分な配慮をする等の観点から，明確な規律整備の必要性が指摘されていた。

　このため，改正法では，子の引渡しの強制執行に関する明文の規定が新設されるとともに，国内と同様の観点から，ハーグ条約実施法上の国際的な子の返還の強制執行に関する規律の見直しも行われた。

第2節　改正の必要性

　旧民事執行法には，国内の子の引渡しの強制執行について，固有の明文規定が設けられていなかった。これは，旧民事執行法制定当時においては子の引渡しに関する請求権の性質についての考え方が必ずしも明確ではなく，子の引渡しの強制執行の方法について，間接強制のほかに直接強制が許されるかどうかについての解釈が分かれていたためと指摘されている。

　子の引渡しの強制執行については，間接強制のみが認められるという見解（間接強制説），直接強制が可能であるとする見解（直接強制説），意思能力のない子に対してのみ直接強制を認める見解（折衷説）などが対立しており，かつての実務の主流は間接強制説に立ち，子の引渡しの直接強制が申し立てられた場合にはこれを却下する例もあった[1]。しかし，これでは子の引渡しを命ずる裁判の実効性を欠くと批判されてきた。このため，その後の実務に変化が見られ，現在の実務では，子の引渡しの強制執行については，間接強制の方法のほか，動産の引渡しの強制執行に関する民事執行法169条を類推適用し，執行官が，債務者による子の監護を解いて債権者に子を引き渡す直接強制の方法によっても行われてきた。もっとも，実際に執行官が直接強制を実施する際の実務の現場における様々な問題点が議論されていたことに加え，2013年（平成25年）にいわゆるハーグ条約（国際的な子の奪取の民事上の側面に関する条約。1980年採択，1983年発効）承認に伴い制定されたハーグ条約実施法との関係で，国内における子の引渡しの強制執行にも妥当する範囲でこれを参照しつつ，かつ両者に共通する規律を設ける必要性も生じていた。

　以上のような状況を踏まえ，改正法では，子の引渡しの強制執行に関する規律の明確化がなされた。

　さらに，国際的な子の返還の強制執行に関しても，ハーグ条約上，利用可能な手続のうち最も迅速な手続を用いると規定されており（ハーグ条約2条），改正後の民事執行法に基づく国内の子の引渡しの直接的な強制執行の

1　内野ほか・金法2124号：32頁

手続が旧ハーグ条約実施法の強制執行に関する規律よりも迅速な手続となることが見込まれ得ることなどを踏まえ，旧ハーグ条約実施法 4 章に規定されている国際的な子の返還の強制執行に関する規律を見直し，改正後の民事執行法に基づく国内の子の引渡しの強制執行に関する規律と同内容のものとすることとした。

第2章　新設条項の概要

第1節　国内法に基づく子の引渡しの強制執行について

◘ポイント◘

〈改正点〉

1　執行機関は執行裁判所
　　原則的に債務者審尋が実施される
2　直接強制に申立要件を付加
3　執行場所の選択肢の拡大
4　執行場所への債権者出頭の義務付け

第1　執行裁判所が執行機関　原則的債務者審尋の実施

　子の引渡しの強制執行は，裁判所が管轄し，次の方法のいずれかにより行うこととされた（民執法174条1項）。

(1)　直接的な強制執行の方法（同項1号）

(2)　間接強制による方法（同項2号）

　このうち，上記(1)の直接的な強制執行の方法は，執行裁判所が執行官に子の引渡しの実施を命ずる旨を決定し，その決定に基づいて執行官が執行場所に赴き債務者による子の監護を解いて債権者に引き渡すというものである。

　また，上記(1)の裁判所の決定に際しては，原則，債務者の審尋を要するが，子に急迫した危険があるときその他の審尋をすることにより強制執行の目的を達することができない事情があるときは，この限りでないとされた（民執法174条3項）。

　執行機関が執行官から第一審裁判所となり，強制執行の申立先が変わったほか，原則的に債務者審尋が必要となったことが実務的には大きな変更点と言える。

第2　直接強制に申立要件を付加

　上記第1(1)の直接的な強制執行の申立ては，①（債権者の選択により間接
強制が先行して実施された場合を念頭に）間接強制の決定が確定した日から
2週間を経過したとき（当該決定において定められた債務を履行すべき一定
の期間の経過がこれより後である場合にあっては，その期間を経過したと
き），②間接強制を実施しても，債務者が子の監護を解く見込みがあるとは
認められないとき，③子の急迫の危険を防止するため直ちに強制執行をする
必要があるときのいずれかに該当するときでなければすることができない
（民執法174条2項）。

　子の引渡しを迅速に実現することが子の利益に資する一方で，強制執行が
子の心身に与える負担を最小限にとどめる観点から，できる限り債務者に自
発的に子の監護を解かせることになる間接強制の方法によることが望ましい
と考えられ，改正後の民事執行法では，直接強制に申立要件が付加された。

　なお，旧ハーグ条約実施法では間接強制前置主義がとられていたが，あま
りにも硬直的にすぎ，緊急を要するときに対応できず，あるいは間接強制を
前置する意味がないケースもあるということで，上記②（民執法174条2項
2号），上記③（同項3号）のいずれかに該当する場合にも申立てができる
こととなったものである。

第3　執行場所の選択肢の拡大

　子の引渡しの直接的な強制執行は，基本的には債務者の住居等の債務者の
占有する場所において実施することとした上で，債務者の親族が子の引渡し
実施の妨害に関与することが少なくないことに鑑み，例外的に，執行官は，
子の心身に及ぼす影響，当該場所及びその周囲の状況その他の事情を考慮し
て相当と認めるときは，債務者が占有する場所以外でも，子の引渡しを実施
できることとされた（民執法175条2項）。なお，債務者以外の者が占有する
場所での子の引渡しの実施には，当該占有者の同意が必要であるが，一定の
場合，当該占有者の同意に代わる決定を裁判所がすることができることとさ

れた（民執法175条2項，3項。旧ハーグ条約実施法の解放実施場所に関する原則の緩和）。

第4　執行場所への債権者出頭の義務付け

　執行官による子の引渡しの実施は，原則，債権者本人が出頭している必要があるが，債務者が実施場所にいなくても，実施できることとされた（民執法175条5項，6項）。

　旧ハーグ条約実施法では債務者同時存在原則がとられており，国内の子の引渡しの直接的な強制執行においても執行の場所で子が債務者と共にいる場合でなければ直接強制を実施することができないという運用がされてきたが，執行実施を阻止するため債務者が子と一緒にいることを避ける事例，債務者が仕事等で日中不在のため早朝あるいは深夜に執行を実施しなければならない事例などが問題となっていた。また，債務者が子の前で激しく抵抗して子を危険にさらしかねないという点や，子が債務者を慮って債権者のもとに行きにくいなどの弊害も指摘されていた。このため，改正後の民事執行法においては，執行時の子の不安を和らげるなど子の心身の負担への配慮について，子と債務者の同時存在の要件は不要とした上で，債務者の不在により子が執行の場所で不安を覚えることがないよう，原則として債権者本人の出頭を要求することとされたものである。

第2節　国際的な子の返還の強制執行について

◇ポイント◇
　国際的な子の返還の強制執行に関する見直し
〈改正点〉
1　間接強制前置の見直し
2　同時存在の見直し
3　執行場所に関する規律の見直し

4　債務者審尋に関する規律の見直し

　国内の子の引渡しの強制執行に関する規律が明確化されたことを踏まえ，ハーグ条約実施法4章に規定されている国際的な子の返還の強制執行に関する規律を見直し，以下のとおり，これを改正後の民事執行法に基づく国内の子の引渡しの強制執行に関する規律と同内容のものとすることとした。

第1　間接強制前置の見直し

　旧ハーグ条約実施法では，子の返還の代替執行の申立てをする要件として，一律にそれに先立つ間接強制の実施を要求していたが（間接強制前置の原則），①間接強制を実施しても債務者が子を常居所地国に返還する見込みがあるとは認められない場合や，②子の急迫の危険を防止するため直ちに子の返還の代替執行をする必要がある場合には，間接強制の申立てをすることなく代替執行の申立てをすることが可能となった（ハーグ条約実施法136条）。

第2　同時存在の見直し

　旧ハーグ条約実施法は，子の返還の代替執行においては，執行の場所で子が債務者とともにいる場合でなければ執行官が債務者による子の監護を解くために必要な行為（解放実施）をすることができないとしていた（同時存在の原則）。

　しかし，債務者が子を祖父母に預けるなどして意図的に同時存在の状況を回避しようとする事案や，債務者側が執行の場所で激しく抵抗するといった事案が少なからず存在しており，同時存在を要することが子の心身に過度な負担を与えるような状況を生じさせているとの指摘もあった，

　そこで，ハーグ条約実施法140条1項は，民執法175条の規定を準用し，債権者もしくはその代理人が返還実施者として執行の場所に出頭した場合に限り，債務者がその場にいなくても執行官による子の解放を可能とした。

第3　執行場所に関する規律の見直し

　旧ハーグ条約実施法は，国際的な子の返還の代替執行における執行の場所については，債務者が占有する場所を基本とした上で，それ以外の場所を執行の場所とするためには，①執行官が，子の心身に及ぼす影響，当該場所及びその周囲の状況その他の事情を考慮して相当と認めるときでなければならず，②当該場所の占有者の同意を要することとしていた。

　もっとも，②の要件については，常に占有者の同意を要することとすると，諸事情により同意が得られない場合には執行不能となってしまうこととなる。

　このため，ハーグ条約実施法140条1項は，民執法175条3項の規定を準用し，当該占有者の同意に代わる許可を執行裁判所から受けることによっても子の返還の代替執行を実施可能なものとした。

第4　債務者審尋に関する規律の見直し

　旧ハーグ条約実施法では，子の返還を実施させる決定（旧ハーグ条約実施法138条）をするためには，例外なく，債務者を審尋しなければならないとされていた（民執法171条3項）。しかし，子に急迫した危険があるときなど，審尋をすることにより強制執行の目的を達することができない事情があるときにまで債務者の審尋を要求するのは相当でない。

　そこで，改正後のハーグ条約実施法では，原則として債務者の審尋を必要としつつ，同法138条2項において，国内の子の引渡しの直接的な強制執行に関する改正後の民執法174条3項と同様に，子に急迫した危険があるときその他の審尋をすることにより強制執行の目的を達することができない事情があるときには，債務者の審尋を経ることなくハーグ条約実施法134条1項の決定（子の返還を実施させる決定）をすることができるものとされた（ハーグ条約実施法138条2項）。

（大江　千佳）

第3章　間接強制

◻ポイント◻
1　子の引渡しの強制執行の方法の一つとして，間接強制による方法が明文化された。
2　①間接強制を実施しても，債務者が子の監護を解く見込みがあるとは認められないとき，又は，②子の急迫の危険を防止するために直ちに強制執行をする必要があるとき，に該当しない場合には，間接強制決定の確定した日から2週間経過しなければ直接的な強制執行の申立てができないため，まずは間接強制の申立てを行うこととなる。

第1　間接強制による方法

　間接強制による方法は従前から行われていたが，今回の改正により，子の引渡しの強制執行の方法の一つとして明文化された（民執法174条1項2号）。

第2　間接強制の概要

　間接強制とは，執行裁判所が債務者に対し，遅延の期間に応じ，又は相当と認める一定の期間内に履行しないときは直ちに，債務の履行を確保するために相当と認める一定の額の金銭を債権者に支払うべき旨を命ずる方法により行われる（民執法174条1項2号，172条1項）。
　具体的には，子を引き渡さない義務者（債務者）に対し，一定の期間内に債権者に子を引き渡さなければ，1日につき◯万円の割合による金員を支払え等，子の引渡しの債務とは別に金銭債務を課すことを決定し，債務者に対して心理的なプレッシャーを加えることにより自発的に子の引渡しを履行させようとするものである。

　ただし，間接強制は，あくまで心理的なプレッシャーを加えて債務者に自発的に引渡しを促すものにすぎないため，間接強制の決定がされても債務者が引渡しをしないこともあり，その場合には，これとは別に直接的な強制執行の手続をとる必要がある。

第3　管轄（執行裁判所）

　代替執行の管轄の規定（民執法171条2項）が準用されており（民執法172条6項），債務名義の区分に応じて次のとおりとなる。
　①　確定判決，審判等の裁判に基づく申立て…第1審裁判所（民執法33条2項1号）
　②　和解又は調停に基づく申立て…当該和解等が成立した地方裁判所又は家庭裁判所（上級審で成立した和解又は調停に基づく申立てについては第1審裁判所）（民執法33条2項6号）

　子の引渡しを求める事案のうち，間接強制を実施しても債務者が子の監護を解く見込みがあるとは認められないとき（民執法174条2項2号）や，子の急迫の危険を防止するため直ちに強制執行をする必要があるとき（民執法174条2項3号）の場合には，債務名義を取得後直ちに直接的な強制執行を申し立てるケースが多いと考えられる[2]。他方，それらに該当しない場合には，まずは間接強制を申立てることになる。そのような事案としては，調停や和解等の合意に基づき子の引渡しの債務名義が成立したものが多いと考えられるところ，その場合は当該調停が成立した家庭裁判所が執行裁判所となる。

第4　申立て

1　要件
　子の引渡しに関する執行力のある債務名義があること。

2　本編第4章第1節参照

2　申立書記載事項

民執規則21条1号，2号及び5号に掲げる事項のほか，子の氏名を記載しなければならない（民執規則157条1項）。

また，執行裁判所において，債務者に子の引渡義務の履行を強制させるための間接強制金の金額を検討する必要があるため，債務者の資産・収支状況や債務者の家族状況等を記載する[3]。

3　添付書類[4]

①　執行力のある債務名義の正本（民執規則21条柱書，157条2項1号）

②　債務名義の送達証明書（民執法29条前段）

③　債務名義の確定証明書（執行文不要とされたもののうち，効力の発生に確定を要するもの）

4　申立費用

収入印紙2000円

連絡用の郵便切手（申立先の裁判所へ確認してください。）

第5　債務者の審尋

執行裁判所は，間接強制の決定をする場合には，申立ての相手方を審尋しなければならない（民執法172条3項）。

第6　決定

執行裁判所は，申立てに理由があると認めるときは間接強制の決定を行う

3　巻末書式〔84〕

4　子の引渡しの間接強制の申立ては，引渡実施決定の要件を充足するために行われる場合も多いと考えられるところ，引渡実施決定申立ての際には改めて債務名義等を添付する必要がある。そのため，債務名義の還付申請を行うことが便宜であると考えられる。この点，東京家裁本庁では，債権者の便宜を図るため，還付を求める書面の写しが提出された場合に債務名義正本等の還付を認めており，還付のための申請書も整備しているとのことである（村井・家庭の法と裁判2020年10月号：35頁参照。巻末書式〔92〕）。

（民執法172条1項）。

第7　執行抗告

　間接強制の申立てについての裁判に対しては，執行抗告をすることができる（民執法172条5項）。

（岡﨑　倫子）

第4章　直接的な強制執行

第1節　債務名義の獲得から実施決定まで

> ◘ポイント◘
> 1　間接強制前置，債務者審尋が原則として必要とされた。
> 2　債務名義の獲得後，執行裁判所に対する強制執行申立て，執行官に
> 　対する引渡実施の申立ての2段構えの手続とされた。

第1　直接的な強制執行の流れ

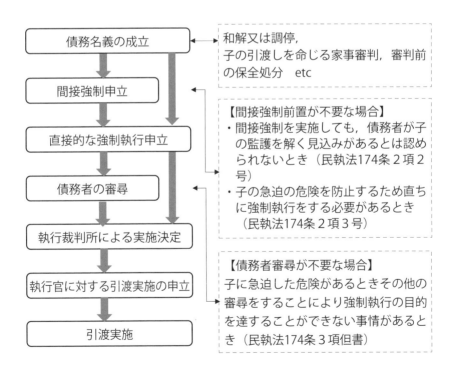

第2　直接的な強制執行の概要

　民事執行法の改正により，子の引渡しの強制執行に関する明文の規定が新設され，民執法174条1項は，①執行裁判所が決定により執行官に子の引渡しを実施させる方法（同項1号），と②民執法172条第1項に規定する方法（同項2号）のいずれかにより行う旨を定めている。

　上記①が「直接的な強制執行」であり，上記②が間接強制である。

　本章において取り扱う「直接的な強制執行」は，従前解釈により用いられてきた動産引渡しの類推適用による直接強制の方法や，代替執行とは別の，子の引渡しの強制執行における独自の仕組みとして定められたものといえる[5]。

　本改正により，執行機関が執行裁判所とされ，間接強制前置や債務者の審尋の手続が定められた。また，ハーグ条約実施法施行後は，同法に準拠した実務運用がされるようになっていたが，本改正により，具体的な引渡しの場面を想定した規律も明確化されるようになった。

第3　管轄

　代替執行の管轄の規定（民執法171条2項）が準用されており（民執法174条5項），債務名義の区分に応じて次のとおりとなる。

①　確定判決，審判等の裁判に基づく申立て　…　第1審裁判所
②　和解又は調停に基づく申立て　…　当該和解等が成立した地方裁判所又は家庭裁判所（上級審で成立した和解又は調停に基づく申立てについては第1審裁判所）。

5　内野ほか・金法2124号：33頁。谷・家庭の法と裁判2020年2月号外：75頁
　ハーグ条約実施法に基づく子の返還の強制執行は，同法134条1項で民執法171条の代替執行の規定によるものとしているのに対し，国内での子の引渡しに関しては，民執法174条5項で代替執行の規定を準用するにとどまり，代替執行そのものとはしていない。これは，ハーグ条約実施法に基づく子の返還の場面において債務者が負う義務は，理念的には，子を常居所地国に返還する義務であることとの違いである。詳細については，内野ほか・Q&A：232頁。

　子の引渡しを求める場合，家庭裁判所における家事審判又は（及び）審判前の保全処分を申し立てることが多いと思われるところ[6]，これらを債務名義として直接的な強制執行の申立てをする場合は，当該家事審判又は審判前の保全処分をした家庭裁判所が，民執法174条1項1号の規定による決定をする執行裁判所となる。

第4　申立て

1　要件

　直接的な強制執行は，次のいずれかに該当するときでなければすることができない。

① 間接強制決定が確定した日から2週間を経過したとき（当該決定において定められた債務を履行すべき一定の期間の経過がこれより後である場合にあっては，その期間を経過したとき）（民執法174条2項1号）

② 間接強制を実施しても，債務者が子の監護を解く見込みがあるとは認められないとき（民執法174条2項2号）

③ 子の急迫の危険を防止するため直ちに強制執行をする必要があるとき（民執法174条2項3号）

★間接強制前置

　上記要件のとおり，改正後の民事執行法は，直接的な強制執行について，間接強制前置を定めている。

　改正前は，ハーグ条約実施法において国際的な子の引渡しに関しては間接強制前置とされていたが，国内の子の引渡しについて動産執行の類推適用による直接強制を行う場合には，間接強制前置とはされていなかった。

　民事執行法改正に当たっては，旧ハーグ条約実施法に倣って間接強制前置とするかという点が論点となった。この点，間接強制前置の趣旨については，子の返還は自発的にされることが子の利益の観点から望ましく，強制執行も子に

6　法制審での議論では，保全処分と本案が同時あるいは1週間程度近接した時期という形でほぼ同時に判断されている事件というのは4割強，その他の6割弱については保全の判断が先行して，その後しかるべき時期に本案の判断がされているとのことである（第5回会議）。

与える心理的負担がより小さい方法から順次実施することが望ましいという点にあるとされていたが，これまで子の引渡しを拒んでいる債務者に金銭的な負担を課したところで任意の引渡しを期待することはできないことや，そもそも金銭執行が困難な債務者には間接強制は意味がない等との批判がされた[7]。

　そこで，間接強制前置自体は維持しつつ，これらの点に対応した間接強制申立を不要とする場合を定める形での改正となった。

　間接強制申立を不要とする場合をどこまでの範囲で認めるのかは，今後の改正後の運用次第であるが，直接的な強制執行を申し立てる弁護士としては，間接強制申立を経ないで直接的な強制執行を申し立てることができる場合に当たるかどうか，上記②③の要件を意識した調査や債務者との交渉を行うことが肝要である。

2　間接強制決定が確定した日から2週間を経過したとき（民執法174条2項1号）

(1)　間接強制決定の確定

　文言上，「確定した日から」2週間を経過したときとされており，間接強制決定が出されたとしても，当該決定に対して執行抗告された場合（民執法172条5項）には，抗告決定がなされるまで確定しないことになる。

(2)　保全執行との関係

　審判前の保全処分が債務名義となる場合には，その保全執行は債権者に対する送達から2週間以内にしなければならない（家事法109条3項，民保法43条2項）。

　しかし，間接強制を経たうえで，直接的な強制執行を申し立てたのでは，この2週間の期間内には間に合わないと思われる。

　この点，2週間以内に間接強制申立をすれば2週間経過後に直接的な強制執行を申し立てても許容されるという考え方と，間接強制と直接的な強制執行申立は別物として直接的な強制執行申立が2週間以内でなければ執行を認めないという考え方があり得るが，立法的には解決されず，解釈に委ねることとされた。

　なお，立法担当者の解説では，最終的には，個別具体的な事案に応じた

7　谷・家庭の法と裁判2020年2月号外：77頁

執行裁判所の判断に委ねられるが，子の引渡しの場面における間接強制と直接的な強制執行は，債務名義の満足という同一の目的に向けられた強制執行であるとして，両者の関係につきそのような評価をすることができる事案については，最初の間接強制の申立てがされた時点で期間制限が遵守されていれば，その後の直接的な強制執行申立の時点で別途この期間制限を考慮する必要はないとされている[8]。

　特に，審判前の保全処分が債務名義となる場合には，申立代理人としては，間接強制を経ずに直接的な強制執行ができるように，上記②③の要件の充足について十分意識をしながら，調査や債務者との交渉を行うことが重要である。

3　間接強制を実施しても，債務者が子の監護を解く見込みがあるとは認められないとき（民執法174条 2 項 2 号）

　上記の要件に当てはまる場合について，次のような具体例が考えられる。

(1)　典型例[9]

・　債務名義成立後に，債権者が債務者に対して任意での引渡しを求めたにもかかわらず，債務者がたとえ裁判所から間接強制金の支払を命じられたとしても，絶対に引渡しには応じない旨を述べる。

・　債権者からの連絡に一切応じず無視し続けるといった態度を示している。

(2)　間接強制との関係

　間接強制決定がされたのに対して執行抗告をしたときは，引渡義務を争う場合も，間接強制金の額を争う場合も，速やかに引渡しをすることができるのにしないのであるから，子の監護を解く見込みがあるとは認められないときに該当すると解すべきとされる。この場合，間接強制決定の確定が未了でも，これに当たると解すべきである[10]。

(3)　債務名義成立前の債務者の態度について

8　内野ほか・金法2124号：239頁

9　渡邉＝片山・家庭の法と裁判2020年 2 月号外：67頁

10　谷・家庭の法と裁判2020年 2 月号外：79頁

　従前，子の引渡しを命じる審判や保全決定が出される前には，債務名義を取得するための家事審判又は（及び）審判前の保全処分における家庭裁判所の審問期日において，相手方に対して任意の引渡しを求めるように裁判所から働きかけがされたにもかかわらず，債務者がこれを拒否することもある。

　もっとも，債務名義成立前の態度を判断材料にするならば債務名義成立前の審理段階での主張立証に萎縮効果を生じさせることになりかねないことから，あくまでも成立した債務名義に対する債務者の態度に限って，判断の材料とされるべきであると考える[11]。

4　子の急迫の危険を防止するため直ちに強制執行をする必要があるとき（民執法174条2項3号）

　上記要件に当たる場合としては，例えば，債務者が子を虐待している場合や，債務者が強制執行から逃れようとして住居を定めず子を連れて転々とするなど，子の生命又は身体の安全等に反する不適切な監護をするおそれがあることが推認される場合等が考えられるとされる[12]。

　この点，保全執行の場合には，2週間以内の時間的制約があるところ，子その他の利害関係人の急迫の危険を防止するため必要があるとき（家事法157条1項）という要件の下に発せられる子の引渡しの保全処分では，多くの場合この要件に該当するものと考えられ，直ちに直接的な強制執行の申立をすることができる場合が多いものと考えられる[13]。

5　申立書記載事項

　民執規則21条1号，2号及び5号に掲げる事項のほか，①子の氏名，②直接的な強制執行を求める理由及び子の住所，③民執法174条2項2号又は3号に該当することを理由として直接的な強制執行を求めるときは，民執法174条2項2号又は3号に掲げる事由に該当する具体的な事実を記載しなけ

---

[11]　谷・家庭の法と裁判2020年2月号外：79頁
[12]　内野ほか・金法2124号：245頁
[13]　谷・家庭の法と裁判2020年2月号外：78頁

ればならない（民執規則157条1項。巻末書式〔85〕）[14]。

6　添付資料

①執行力のある債務名義の正本（民執規則157条2項1号），債務名義の送達証明書，債務名義の確定証明書（確定が必要な場合），②間接強制決定が確定した日から2週間を経過したとき（民執法174条2項1号）に該当することを理由として申立てをするときは，間接強制決定の謄本及び当該決定の確定証明書を添付しなければならない（民執規則157条2項2号）

7　申立費用

・収入印紙2000円
・連絡用の郵便切手（申立先の家庭裁判所へ確認してください。）

第5　債務者の審尋

1　審尋の内容

債務者の審尋においては，「間接強制を実施しても，債務者が子の監護を解く見込みがあるとは認められないとき」（民執法174条2項2号）や「子の急迫の危険を防止するため直ちに強制執行をする必要があるとき（民執法174条2項3号）」の要件について，債権者の主張立証の内容に対する反論等を聴取するほか，子の引渡しについての債務者の意向やこれまでの対応状況，さらには債務者による子の監護状況等について聴取することになるものと考えられる[15]。

2　審尋が不要な場合

執行裁判所は，民執法174条1項1号の規定による決定をするには原則として債務者を審尋しなければならないが（同条3項），例外として，子に急迫した危険があるときその他の審尋をすることにより強制執行の目的を達することができない事情があるときは，債務者の審尋は不要である（同条3項

14　内野ほか・金法2124号：234頁
15　内野ほか・金法2124号：247頁

但書)[16]。

　なお，債務名義が審判前の保全処分などの場合には，その保全執行は債権者に対する送達から2週間以内にしなければならないが，審尋を経ていると，執行官による子の引渡しの実施が2週間を過ぎてしまう可能性がある。この点については，解釈に委ねられることになるが，2週間以内に執行裁判所に対する申立てをすれば足りるものと解すべきであると考えられる[17]。

第6　執行裁判所による実施決定

　執行裁判所は，申立てに理由があると認めるときは執行官に子の引渡しを実施させる旨の決定をすることになる。その決定内容は執行官に対し，債務者による子の監護を解くために必要な行為をすべきことを命ずるものとなる（民執法174条4項）。

第7　費用前払決定申立

　実施決定をする場合については，代替執行における費用前払決定の規定（民執法171条4項）が準用されており（民執法174条5項），執行裁判所は，申立てにより，債務者に対し，執行官が決定に基づく行為をするために必要な費用をあらかじめ債権者に支払うべき旨を命ずることができる[18]。

　なお，後記のとおり，引渡実施に当たっては執行費用を予納する必要があり，予納金額は相当の金額となるので，当該申立てを併せてすることも検討する必要がある。

16　この例外規定は，規定の文言に即して厳格に解釈運用される必要があり，具体的には，債務者が子の所在場所を変更しようとしていたりするなど，審尋の実施によって執行妨害を招く現実的な危険があるとき等の例外的な場合に限られるものと考えられる（谷・家庭の法と裁判2020年2月号外：75頁）。

17　谷・家庭の法と裁判2020年2月号外：75〜76頁

18　この費用前払決定は，債務名義となるものと考えられる（内野ほか・金法2124号：225頁）。

第8　執行抗告

実施決定や費用前払決定に対しては，執行抗告が可能である[19]（民執法174条6項）。

第9　第三者の占有する場所での執行の許可の申立て

1　概要

直接的な強制執行の実施は，執行場所の財産権等の侵害を伴うものであるので，債務者の住居等の占有する場所において行うのが原則である（民執法175条1項）。

もっとも，子が祖父母宅に預けられて生活している等，子が債務者の占有する場所以外の場所を住居としている場合には，その住居の占有者の同意が得られない場合であっても，執行裁判所から，占有者の同意に代わる許可を受けることにより，その住居において，執行官が子の監護を解くために必要な行為をすることができる[20]（民執法175条3項）。

子が債務者の占有する場所以外の場所を住居としている場合には，当該申立ても併せて行うことが必要となろう。

2　許可の要件

①当該場所が子の住居といえる場合において，②債務者と当該場所の占有者との関係，当該占有者の私生活又は業務に与える影響その他の事情を考慮して相当と認められること。

例えば，子が債務者によって祖父母の自宅[21]に預けられて生活し，強制執行がされても祖父母の生活に重大な悪影響がないとき等が考えられる。

---

[19]　執行抗告は，裁判の告知を受けた日から1週間の不変期間内に，抗告状を原裁判所に提出してしなければならない（民執法10条2項）。

[20]　内野ほか・金法2124号：267頁

[21]　他には寄宿舎などが考えられる。

3　申立書記載事項

　同意に代わる許可の申立書には，①子の住居及びその占有者の氏名又は名称，②申立ての理由を記載しなければならない（民執規則159条1項）。また，同条2項は，民執規則27条の2第2項の規定を準用するとしているので，申立人は，申立てを理由づける事実を具体的に記載し，かつ，立証を要する事由ごとに証拠を記載しなければならない（巻末書式〔86〕）。

4　申立費用

- ・収入印紙500円
- ・連絡用の郵便切手（申立先の家庭裁判所へ確認してください。）

5　不服申立て

　同意に代わる許可に対する不服申立てについては，執行抗告ではなく，執行異議によることになる[22]。

6　執行官による文書の提示

　執行官が，同意に代わる許可を受けて債務者による子の監護を解くために必要な行為をするときは，その職務の執行にあたり，当該許可を受けたことを証する文書を提示しなければならない（民執法175条4項）

第10　債権者代理人の出頭の下での執行を認める決定申立て

1　概要

　改正法では，いわゆる同時存在の原則の要件を不要とした。もっとも，執行にあたり，執行官をはじめとする見知らぬ大人だけが執行の現場にいることで子が不安を覚えることがないよう，原則として債権者本人の出頭が必要とされている[23]。

　しかし，債権者が執行の場所に出頭することができない場合に，一切の例外なく強制執行ができないこととすると，子の引渡しの実現という目的に照

22　内野ほか・金法2124号：269頁
23　内野ほか・金法2124号：273頁

らし，過度に硬直的な運用となり得る。他方で，子と親密な関係を築いている親族等が債権者に代わって出頭すれば，子が不安を覚えることを避けることができるものと考えられる。

そこで，「債権者が執行の場所に出頭することができない場合」であっても，一定の要件を満たすときは，執行裁判所の決定に基づき，例外的に，当該代理人が当該場所に出頭したときでも，子の引渡しの直接的な強制執行を実施することを認めることとしている[24]（民執法175条6項）。

2　要件

①債権者が執行の場所に出頭することができない場合において，②その代理人が債権者に代わって当該場所に出頭することが，当該代理人と子の関係，当該代理人の知識及び経験その他の事情に照らして子の利益の保護のために相当と認めるときである（民執法175条6項）。

なお，「債権者が執行の場所に出頭することができない場合」について，病気や事故に伴う入院等のやむを得ない事情により執行の場所に出頭できない場合はこれに該当すると考えられる一方，少なくとも調整が可能な仕事等を理由とする場合には上記要件に該当しないものと考えられる[25]。

また，「代理人」とは，基本的には子との同居や交流経験のある親族のように，子との間に一定の精神的なつながりがある者である必要があるものと考えられるため，例えば，当該子の養育実績のある親族（祖父母，おじおば等）が選ばれることが想定される。

3　申立書記載事項

債権者代理人の出頭の下での執行を認める決定申立書には，①民執法175条6項の代理人となるべき者の氏名及び住所，②申立ての理由を記載しなければならない（民執規則160条1項）。また，民執規則160条2項は，同規則27条の2第2項の規定を準用するとしているので，申立人は，申立てを理由づける事実を具体的に記載し，かつ，立証を要する事由ごとに証拠を記載しなければならない（巻末書式〔87〕）。

---

[24]　内野ほか・金法2124号：275頁
[25]　内野ほか・金法2124号：276頁

4　申立費用

・収入印紙500円
・連絡用の郵便切手（申立先の家庭裁判所へ確認してください。）

5　不服申立て

　債権者代理人の出頭の下での執行を認める決定に対する不服申立てについ
ては，執行抗告ではなく，執行異議によることになる[26]。

第2節　執行官に対する引渡実施の申立てから引渡実施まで

◖◗ポイント◖◗
1　強制執行に先立って執行官とよく相談する。
2　執行場所や子の状況等を踏まえて，いつどこで執行を行うのか検討
　する。

第1　執行官に対する引渡実施の申立て

1　申立先

　引渡実施の実施場所（原則として子の所在地）を職務区域とする執行官
（実施場所の管轄がある地方裁判所に所属する執行官）に対し，引渡実施を
申し立てることになる[27]（執行官法2条1項）

2　事前相談

　執行裁判所による実施決定（民執法174条1項1号）を得た後には，これ
に基づき，執行官に対して引渡実施の申立て（民執法175条1項又は2項）
をすることになる。
　裁判所サイドだけでなく児童心理の専門家等のスケジュールの調整が必要

26　内野ほか・金法2124号：279頁
27　内野ほか・金法2124号：258頁

であるため，引渡実施の申立てに当たってはあらかじめ執行官室に相談しておくことが必要である[28]。実際には，審判や仮処分が出される見込みの時点で，相談を始めると円滑である。

　なお，大阪や東京には地方裁判所と別の場所に執行センターがあるが，子の引渡実施を行っているのは，地方裁判所内の執行官室である。

3　申立書記載事項

　引渡実施を求める旨の申立書には，次に掲げる事項を記載しなければならない（民執規則158条1項。巻末書式〔88〕）。

① 　債権者及び債務者の氏名又は名称及び住所，代理人の氏名及び住所並びに債権者の生年月日

② 　債権者又はその代理人の郵便番号及び電話番号（ファクシミリの番号を含む。）

③ 　子の氏名，生年月日，性別及び住所

④ 　債務者の住居その他債務者の占有する場所において引渡実施を求めるときは，当該場所

⑤ 　上記④の場所以外の場所において引渡実施を求めるときは，当該場所，当該場所の占有者の氏名又は名称及び当該場所において引渡実施を行うことを相当とする理由並びに当該占有者の同意に代わる許可（民執法175条3項）があるときはその旨

⑥ 　債権者の代理人が執行場所（民執法175条1項又は2項に規定する場所）に出頭した場合においても引渡実施をすることができる旨の決定（同条6項）があるときは，その旨並びに当該代理人の氏名及び生年月日

⑦ 　引渡実施を希望する期間

---

[28] 実際の執行着手まで（執行日当日含む）に，債務者及び子の予想される行動や反応，実施場所の状況，時間帯等，執行官等と実際の執行の段取りを綿密に打ち合わせる必要がある。引渡実施が夜間や休日に及ぶ場合が想定される場合には，執行官はあらかじめ夜間や休日の執行について執行裁判所の許可を得なければならない（民執法8条）。

4　添付書類

① 　上記実施決定正本
② 　債務者及び子の写真その他の執行官が引渡実施を行うべき場所において
　　これらの者を識別することができる資料[29]
③ 　債務者及び子の生活状況に関する資料
④ 　占有者の同意に代わる許可（民執法175条3項）があるときは，当該
　　許可を受けたことを証する文書
⑤ 　債権者の代理人が執行場所（民執法175条1項又は2項に規定する場
　　所）に出頭した場合においても引渡実施をすることができる旨の決定
　　（同条6項）の決定があるときは当該決定の謄本

5　申立費用

　引渡実施の申立ての際には，執行費用を予納する必要がある。
　執行官の手数料については，執行官の手数料及び費用に関する規則（昭和
41年最高裁判所規則第15号）において定められているが，予納金額は各地で
異なるので，各地の執行官室にあらかじめ確認することになる[30]。

第2　債権者の出頭

1　同時存在の原則の問題点

　前述のとおり，改正前のハーグ条約実施法140条3項は，子の監護を解く
ために必要な行為は子が債務者と共にいる場合に限りすることができる旨を
定めていた（いわゆる「同時存在の原則」）。同法施行後は，国内の子の引渡
執行の実務においても，この規律に沿った運用がされていた。しかし，同時
存在の原則に対しては，かえって子を高葛藤や心身に危険のある状態に置き

29　子の写真等。
30　大阪地裁執行官室では，子の引渡しに関する予納金額は，基本金額8万円，援助執行
　　官1名あたり8万円加算とされているが，子の引渡しの場合は援助執行官を同行するこ
　　とが通常であるので，16万円を用意する必要がある。また，子1人増すごとに16万円加
　　算，場所1か所増すごとに2万円加算とされている。
　　　東京地裁執行官室では，基本額4万円とされているが，事案により追納の可能性あり
　　とされており，申立前に具体的事情を踏まえて相談することが必要である。

かねない，債務者側の親が子を自ら引き渡すことがむしろ子の心に悪影響を
与える可能性がある，債務者が子と一緒に所在しないようにすることで執行
を逃れる手立てとなり得るなど，子の福祉の観点からも執行の実効性の観点
からも問題が指摘されていた。

そのため，債務者との同時存在の原則の規律は撤廃されることとなった。

2　債権者本人の出頭の原則

他方で，執行場所において債務者が存在しないことにより子が事態を飲み
込めずに不安や混乱に見舞われることを避けるため，原則として債権者本人
の出頭が必要であるとされた[31]（民執法175条 5 項）。

また，債権者本人がやむを得ず出頭できない場合に対応するため，上記の
例外として，執行裁判所は，債権者の代理人が債権者本人に代わって執行場
所に出頭することが当該代理人と子との関係，当該代理人の知識及び経験そ
の他の事情に照らして子の利益の保護のために相当と認められるときは，債
権者の申立てにより，当該代理人が執行場所に出頭した場合においても，子
の監護を解くために必要な行為をすることができる旨の決定をすることがで
きるものとされた（民執法175条 6 項）。債権者本人の出頭を必要的としたの
は子の心理的な負担を考慮したものであることからすると，これに代わる
「代理人」としては通常は，例えば子の養育実績のある親族など，子と一定
の親しい関係にある者が想定される[32]。

第 3　執行場所

1　概要

執行場所をどことするのかはこれまでの債務者側での債務者や子の生活状

31　従前の実務においても，債務者が出頭することが多かった。この場合，債権者自体は
近隣で待機することが多く，執行場所に臨場するかどうか執行官の現場での判断によっ
ていた。

32　同項の「代理人」ではないとしても，債権者側の弁護士は，申立代理人として引渡実
施に立ち会うことができることは言うまでもない。子の引渡し執行においては，債務者
や子の説得に長時間を要するなど，申立代理人としては，不測の事態が生じた場合等の
ために引渡実施日には十分な時間的余裕を確保しておくようにすべきである。

況を踏まえて，判断することになる。

　特に，審判前の保全処分を債務名義とする場合，時間的制約があるので，慎重に検討し執行官とも十分に打ち合わせをしておく必要がある。

2　債務者の占有する場所（債務者の自宅等）

　一般的に子は債務者の自宅等において債務者と一緒に居住していると考えられるので，子の引渡しの直接的な強制執行の実施場所としては，債務者の住居その他債務者の占有する場所が原則として定められている（民執法175条1項）。

　債務者が自身の実家で祖父母等（債務者からみた父母等。以下同じ。）と同居している場合には，実家も債務者の自宅等といえる。

3　債務者以外の第三者の占有する場所

　上記のとおり，債務者の占有する場所での実施が原則であり，債務者以外の第三者が占有する場所での実施も認められるためには，①執行官が，子の心身に及ぼす影響，当該場所及びその固囲の状況その他の事情を考慮して相当と認める場合であり，かつ，②当該場所の占有者の同意又はこれに代わる執行裁判所の許可があることである（同条2項）。

　なお，当該場所の占有者の同意に代わる執行裁判所の許可（民執法175条3項）については，当該第三者の占有する場所が，「子の住居」と評価できる場合に限られる。

(1)　債務者側の祖父母宅等

　債務者が実家に子らを連れて帰っている場合等，債務者側の祖父母宅等を執行場所とすることは実務上多いといえる。

　上記のとおり，債務者も実家で祖父母等とともに子と同居している場合には，当該場所は民執法175条1項の定める債務者の占有する場所と評価しうる。

　他方，債務者が祖父母等と同居せずに子が祖父母のもとで養育されている場合などでは，債務者の占有する場所とは評価できないので，当該場所での引渡実施には，第三者である祖父母等の同意が必要である。

　もっとも，祖父母等の同意が得られる見込みがない場合であっても，当

該場所が「子の住居」と評価することができる場合には[33]，債権者の申立てにより，執行裁判所は，債務者と当該場所の占有者との関係，当該占有者の私生活又は業務に与える影響その他の事情を考慮して相当と認められる場合に，同意に代わる許可をすることができる（民執法175条3項）。

(2)　学校，幼稚園，保育園等

　ハーグ条約実施法施行以前は，学校等での子の引渡しの直接強制がされることもあったが，同法施行後，同時存在の原則が国内の子の引渡しの手続きにおいても準拠されるようになって以降は，学校等での執行は困難となっていた。

　本改正後は，学校等での引渡実施も可能となったが子のプライバシーが害されるおそれや第三者を紛争に巻き込むおそれ等に留意して相当性を判断する必要があり，当該場所の管理者の協力も不可欠である。学校，幼稚園，保育園等ではこのような事例に慣れていないことが通常であるので，事前に校長や園長等に十分に説明し，十分な理解を得ておくことが重要である。

　子のプライバシーに配慮し，他の生徒，園児や保護者等の目に触れないように引渡実施を行うためには，例えば引渡実施のための部屋を用意してもらったり，その場まで子を誘導してきてもらったりするなど，様々な協力や配慮をしていただく必要がある[34]。

　なお，保育所・幼稚園や学校等は，子の住居でないため執行裁判所の同意に代わる許可（民執法175条3項）の対象には含まれない。

(3)　公道上

33　実家で生活している場合でも，母屋と離れがあり，祖父母等は母屋で生活しており，債務者と子は離れで生活している場合など，どこまでが債務者の占有する場所といえるか悩ましいケースもある。また，この場合に，引渡実施時に子が母屋にいた場合，「子の住居」といえるのかどうかも難しいところである。

34　渡邉＝片山・家庭の法と裁判2020年2月号外：70頁。他方，内野ほか・金法2124号：266頁では，保育所・幼稚園や学校において強制執行を実施することは一般論としては可能であるといい得るものの他の園児や学童の目に触れる可能性や，子のプライバシーや心身への影響等の具体的事情を考慮してもなお相当であることが必要であるうえ，仮に相当と認められる場合でも，保育所・幼稚園や学校の管理者の同意を得ることが必要となるため，実際上は，これらの場所で強制執行が実施されることは余り想定されないと考えられるとする。

　公道上においては，子が債務者と共にいる場合であっても，子が予想外の行動をとり，往来する自動車との接触等の不測の事態が生じる危険があることや，公衆の目に触れてプライバシーが害されるおそれが高いこと等から，通常は相当性が認められないことが多いと思われる[35]。

（越智　信哉）

第4　引渡実施に関する債権者等の協力等

　執行官は，引渡実施を求める申立てをした債権者に対し，引渡実施を行うべき期日の前後を問わず，債務者及び子の生活状況，引渡実施を行うべき場所の状況[36]並びに引渡実施の実現の見込みについての情報並びに債権者及び民執法175条6項の代理人を識別することができる情報の提供その他の引渡実施に係る手続の円滑な進行のために必要な協力を求めることができる（民執規則161条1項）。

第5　引渡実施における執行官の権限

　改正前は，子の引渡しの強制執行における執行官の権限に関する具体的な規律は定められていなかったが，本改正により，執行官の権限等が明確にされ（民執法175条），執行裁判所及び執行官の責務が定められた（民執法176条）。
　具体的には以下のとおりである。

1　執行官の役割と権限
　子の引渡しの直接的な強制執行において，執行官は，執行裁判所の決定に基づき，債務者による子の監護を解き，債権者へ引き渡す役割が求められており，それを実現するために，以下のような権限が規定されている。
　⑴　執行場所における権限

---

[35]　渡邉＝片山・家庭の法と裁判2020年2月号外：70頁
[36]　例えば債務者の自宅の間取りが分かるようであれば，簡単なメモ程度でもよいので債権者に確認しておく。

　改正法において，執行官が，債務者による子の監護を解くために必要な行為としてすることができるものは以下のとおりである（民執法175条）。
① 　債務者に対する説得（同条1項柱書）
② 　債務者の住居等の執行場所への立入り・子の捜索（同項1号）
　　なお，必要があるときは解錠処分も行える。
③ 　債権者又はその代理人と子又は債務者とを面会させること（同項2号）
④ 　執行場所に債権者又はその代理人を立ち入らせること（同項3号）
　また，以上の「必要な行為」をするに際し，債権者又はその代理人に対し，必要な指示をすることができる旨定められている（民執法175条9項）。
　なお，執行官は，債務者が説得に応じずに抵抗する場合には，債務者や第三者の抵抗を排除するために威力を行使したり，警察上の援助を求めることができる（民執法6条1項。なお威力の行使については後述2参照。）。

⑵　準備段階での権限
　子の心身への配慮（後述第3節参照）を含めた子の福祉・利益を重視しながら子の引渡しを実現するためには，事前に状況等を把握したうえで執行計画を立てる必要があるため，執行官は以下の権限を有することが規則で定められた。
　執行官に対する引渡実施の申立書には，引渡実施を希望する期間（民執規則158条1項7号）等を記載し，債務者及び子の写真など識別できる資料のほか，債務者及び子の生活状況に関する資料を添付しなければならない（同条1項，2項1号・2号）が，それに加えて，①執行官は，債権者に対し，引渡実施を行うべき期日の前後を問わず，債務者及び子の生活状況，引渡実施を行うべき場所の状況並びに引渡実施の実現の見込みについての情報等，引渡実施に係る手続きの円滑な進行のために必要な協力を求めることができることとされた（民執規則161条1項）。
　また，②子の引渡しの申立てに係る事件の係属した裁判所又は子の引渡しの強制執行をした裁判所は，引渡実施に関し，執行官に対し，情報提供等必要な協力をすることができ（同条2項），この協力をするに際し，事実の調査をした家庭裁判所調査官や診断をした裁判所技官に意見を述べさせることもできる（同条3項）。そのため，執行官が裁判所に協力要請を

行い，子の状況や親子関係等について確認をしたうえで引渡実施に臨むことができる。なお，これらの協力に際して執行官が作成・取得した書類については，閲覧や謄本・抄本の交付請求を行うことはできない（同条4項）。

2　子の監護を解く場面における威力の行使の可否

⑴　威力の行使の可否

民執法6条は，執行官が，職務の執行に際し抵抗を受けるときは，その抵抗を排除するために威力を用いることができる旨を定めている。

しかし，子の引渡しの直接的な強制執行においては，子の福祉・利益の観点から，子に対して威力を用いることはできないとされた（民執法175条8項前段）。

また，子以外の者に対して威力を用いることが子の心身に有害な影響を及ぼすおそれがある場合には，当該子以外の者に対して威力を用いることも許されない（同項後段）。例えば，子の目前で債務者へ威力を用いた場合に，それを目撃した子に精神的な影響を与えるような場合には，子の心身に有害な影響を及ぼすおそれがあるため，債務者への威力の行使はできないことになる。

⑵　「威力」

「威力」とは，人の意思を制圧する程度の有形力の行使をいうと解されており，子に対して一切の有形力の行使が禁止されるわけではないと考えられている[37]。そして，「威力」と「有形力の行使」の違い・意義については，子の年齢等に応じて個別に検討する必要があり，具体的な行為等についての規定はなされず，解釈・運用に委ねられることになった[38]。

もっとも，法制審議会の議論では，ハーグ条約実施法における概念を前提に，子の引渡しに際し抵抗していない子，すなわち，子が債務者の監護

---

[37]　内野ほか・金法2124号：37頁
[38]　「子に対する威力に当たらない有形力の行使の限界は，その場の状況，子の意思能力の発達の程度，子の心身に与える影響の程度等を踏まえ，ケース・バイ・ケースでの専門的な判断が必要となることから，子の福祉に関する専門家の知見を活用することが好ましい」との指摘がなされている（渡邉＝片山・家庭の法と裁判2020年2月号外：71頁）。

下から分離されるに際して拒絶する行為をしない子に対して，執行官が身体的接触を伴う行為に及ぶことは「威力」の行使には当たらないと解されている。具体的には，例えば，執行官が自立歩行の不可能な乳児をベビーベッドから抱き上げて債権者に引き渡す行為や，子が口で拒絶の意思を示していても身体的な抵抗までは示さないという場合に，その子の手を引いたり肩を押したりするなど，子の意思を制圧しない程度の有形力を行使して子を誘導する行為は，「威力」の行使には当たらないものと解される一方，債務者の住居の中で逃げ惑う子を執行官が追い掛けて捕まえる行為は，「威力」の行使に当たるというべきである，との整理がなされている[39]。

第6　引渡実施の終了

1　引渡実施の終了の通知

債権者が子を取り戻し引渡実施が終了したときは，執行官は，債務者（債務者の住居その他債務者が占有する場所以外の場所において引渡実施を行ったときは，債務者及び当該場所の占有者）に対し，その旨を通知しなければならない（民執規則162条）。

2　引渡実施の目的を達することができない場合

次に掲げる場合において，引渡実施の目的を達することができないときは，執行官は，引渡実施に係る事件を終了させることができる（民執規則163条）。

①　引渡実施を行うべき場所において子に出会わないとき。

②　引渡実施を行うべき場所において子に出会ったにもかかわらず，子の監護を解くことができないとき。

③　債権者又はその代理人が民執法175条9項の指示に従わないことその他の事情により，執行官が円滑に引渡実施を行うことができないおそれがあるとき。

[39]　部会資料20－2，25・26頁

3　引渡実施に係る調書の作成

　引渡実施を行ったときには，執行官は，調書を作成する（民執規則13条4項1号）。記載事項は，同条第1項第1号及び第3号から第8号までに掲げる事項のほか，民執規則164条に規定する事項である。

第3節　子の心身への配慮

　子の引渡しの直接的な強制執行は，子の心身に負担を与えかねない。そこで，新たに，執行裁判所及び執行官の責務として，子の年齢及び発達の程度その他の事情を踏まえ，できる限り，当該強制執行が子の心身に有害な影響を及ぼさないように配慮しなければならないと規定された（民執法176条）。

　この規定は，これまでの執行実務において行われてきた子の心身の負担に配慮した様々な工夫等（それを実現するための執行官と執行補助者等との適切な連携に向けた工夫を含む。）の運用を継続し発展させていくことが期待されることから，これを促す趣旨で設けられたものである[40]。

　「配慮」の具体的な内容については，事案ごとに考えられることとなるが，子の福祉の観点からは児童心理の専門家等の活用が必要・有用であると考えられる。なお，立法担当者によれば，「配慮」の具体的な内容の例として，「執行を実施するための執行裁判所と執行官との事前の打ち合わせにおいて，①児童心理の専門家を執行補助者として立ち会わせることの要否を吟味すること，②実際に児童心理の専門家を立ち会わせるとして，執行官，専門家の役割分担，子への声掛けの順序，子を安心させるための話題，現場にいる債務者への説得事項や方法等について，綿密な打合せを行うこと，③執行の現場において，子の心理状態をよく見極めながら債権者側と債務者や子とを対面させるタイミングに意を払うこと，④執行官が債務者に対する説得を行っている際には，児童心理の専門家が子の相手をするなど臨機応変に対応しつつ，子の心理の平穏を保つための工夫を行うことなどが考えられます」としている[41,42]。

---

[40]　部会資料22-2, 8頁
[41]　内野ほか・金法2124号：284頁
[42]　部会において児童心理の専門家である参考人から，子が拒否をするケースについてど

これまで以上に，児童心理の専門家を活用し，連携しながら進めることが期待されている[43]。

第4節　改正されなかった事項（今後の課題）

国内法に基づく子の引渡しの強制執行手続に関し，今回の改正では規律化されず残された課題として，以下のものがある。

第1　子の探索の制度

これまでも，債務者が親族に子を監護させる等して子の居場所が不明とな

うすればうまくいったかを振り返って考えたうえで，「執行に至る前に，お子さんに対しても，早い段階で，今後どういったことが起こるのかというような説明をしておくということは必要ではないかと感じております。例えば，年齢が低かったとしても，お父さんとお母さんがどのような話合いをしているのかといったことを説明しておかないと，お子さんは，自分がその後どうなっていくかというような見通しが全く立たない，立っていない中で，急に強制執行が行われるというような感覚があるのかもしれません。」，「お子さんの年齢がある程度高いのであれば，『今こういう手続でこういうことをしています。』とか，『執行によって債権者側に帰ったとしたら，こういうことが起こってきます。』とか，本来であれば引渡し後も親子の面会交流をしたほうがいいと思うので，『次にお父さんやお母さんに会えるのはいつぐらいです』というような形で先が見えてくるように説明をすると，お子さんの不安は減ってくるのかなという気はしています。強制執行というと，執行官が急に現場に行って子供を引き渡すということがやはり前提だとは思うんですが，もし児童心理の専門家等が関われるのであれば，その前の段階から，子供に立った視点で説明をしていくというプロセスがあったら，もう少し違ったのかなとは思っています。」との指摘がなされている（田口圭子参考人発言・部会第21回会議議事録23頁）。
　子の意思を尊重し，子の不安を軽減しながら子の最善の利益の観点から債務名義の内容を実現するためには，可能なケースでは，本案において子どもの手続代理人を選任，活用していくことが重要であると考えられる。また，引渡実施場面においては，児童心理の専門家が子の視点から説明等できるよう，事前に債権者側から情報を得ておくことが必要であるし，その前提として債権者自身には子の立場からの対応が求められる。

43　なお，児童心理の専門家の活用，連携が適切になされるためには，現場への立会だけではなく，事前の打合せからの関与が必要なケースがほとんどであると考えられる。その場合，立会人ではなく執行補助者として関与してもらうことが相当であり，債権者代理人としては，予納費用がかかるが，その方が子の心身への配慮として適当であることを債権者へ説明し，了解を得られるようにすべきと考える。

り申立てができないケースや，債務名義成立後に債務者や子の居住状況，就業状況，通勤・通学状況等が変わっており，執行に着手するも不在で執行不能となる，あるいは執行不能を避けるために早朝や夜間に執行を着手し，子への負担が大きくなるケースなどが見受けられた。このような事態は，執行の実効性や子の福祉の観点から問題がある。そこで，子の所在等について調査するための制度設計の必要性について議論が重ねられたが，改正は見送られた。

　この点については，今後の実務状況を踏まえながら，引き続き検討がなされるべきと考えられる。

第2　児童心理に関する専門家の義務的関与

　通常，直接的な強制執行による子の心身への影響は少なくない。そのため，子の心身への配慮の観点からは，児童心理の専門家が立会人・執行補助者として関与する必要性が高いところ，今回の改正では，個別の事案において柔軟な対応を可能にするために，執行裁判所及び執行官の責務として子の心身への配慮を規定するにとどまり，専門家関与の義務はなされなかった。

　このような場面で実働できる専門家が十分には養成されていないこと，その結果として専門家関与を必須とした場合に日程調整のために執行が遅れるおそれがあること，費用の問題等，ハードルはあるが，子の福祉・最善の利益の観点からは専門家ができるだけ関与できる体制が必要であり，引き続き上記の点も含めて検討がなされるべきと考えられる。

第5節　施行日と経過措置

　改正法の施行日は，令和2年4月1日である（改正法附則1条，令和元年政令189号）。

　民執法174条から176条までの規定は，施行日前に申立てられた子の引渡しを目的とする請求権についての強制執行の事件については，適用しない（改正法附則4条）。

（岡﨑　倫子）

第5章　国際的な子の返還の強制執行手続

> **◪ポイント◪**
>
> 　国内の子の引渡しの強制執行に関する規律の明確化に伴い，国際的な子の返還の強制執行についても，申立の要件や執行場所における執行官の権限等に関する規定は，国内の規律と同内容のものに改められた。また，間接強制前置の要件，子と債務者の同時存在の要件がいずれも不要となるなどの改正がなされた。

第1節　国際的な子の返還の強制執行手続の流れ

　次頁図参照

　※ハーグ条約実施法においては，子が16歳に達したら，強制執行はできなくなる（ハーグ条約実施法135条）。

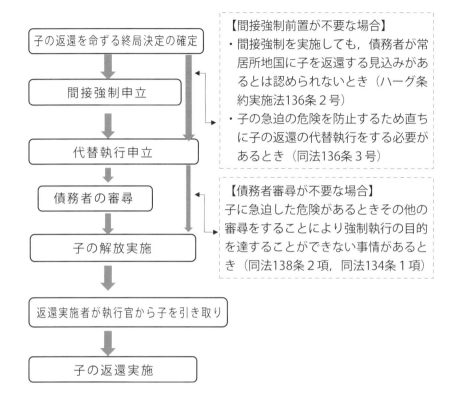

第2節　間接強制の手続

◇ポイント◇

　間接強制の前置を見直し，①間接強制を実施しても債務者が子を常居所地国に返還する見込みがあるとは認められない場合や，②子の急迫の危険を防止するため直ちに子の返還の代替執行をする必要がある場合には，間接強制の申立てをすることなく代替執行の申立てをすることが可能となった。

第 1　間接強制前置の見直し

　民事執行法においては，金銭の支払いを目的としない請求権のうち，直接的な強制執行によることができる請求権に関する強制執行の方法については，債権者の選択により直接的な強制執行と間接的な強制執行のいずれの申立てをすることもできることとされている（民執法173条 1 項）。しかし，旧ハーグ条約実施法136条は，強制執行が子の心身に与える負担を最小限にとどめる観点から，できる限り，債務者に自発的に子の監護を解かせる間接強制の方法によることが望ましいとの考え方に基づき，子の返還の代替執行の申立てをする要件として，一律に，それに先立つ間接強制の実施を要求していた（間接強制前置の原則）。

　もっとも，①間接強制を実施しても債務者が子を常居所地国に返還する見込みがあるとは認められない場合や，②子の急迫の危険を防止するため直ちに子の返還の代替執行をする必要がある場合まで一律に間接強制の前置を要求すると，運用が硬直的になると考えられる。また，ハーグ条約 2 条は，同条約の目的の実現を確保するため，締約国が全ての適当な措置をとり，その際，利用可能な手続のうち最も迅速なものを用いると規定しているところ，改正後の民事執行法に基づく国内の子の引渡しの直接的な強制執行の手続は，間接強制の前置を一律には要求していない点で，旧ハーグ条約実施法の代替執行の手続よりも迅速な手続となることが見込まれ得る。

　そこで，改正後のハーグ条約実施法136条は，国際的な子の返還の代替執行の申立ての要件を，改正後の民事執行法174条 2 項と同内容のものとし，間接強制の前置を不要とすることとした[44]。

　改正後は，①間接強制を実施しても債務者が子を常居所地国に返還する見込みがあるとは認められない場合や，②子の急迫の危険を防止するため直ちに子の返還の代替執行をする必要がある場合には，間接強制の申立てをすることなく代替執行の申立てをすることが可能となった。

---

[44]　内野ほか・金法2124号：312頁

第2　間接強制の手続

1　間接強制の申立て

　確定した子の返還を命ずる終局決定（確定した子の返還を命ずる終局決定と同一の効力を有するもの[45]を含む。以下同じ。）の正本を債務名義として（ハーグ条約実施法134条2項），子の返還申立事件の第一審裁判所である家庭裁判所（東京家庭裁判所又は大阪家庭裁判所）に間接強制の申立てをする（民執法172条6項，171条2項，33条2項1号・6号，22条3号・7号）。

2　申立書記載事項

　間接強制の申立書には，①民執規則21条1号，5号に掲げる事項に加え（ハーグ条約実施規則[46]84条1項柱書），②子の氏名及び生年月日（同規則84条1項1号），③確定した子の返還を命ずる終局決定の表示（同規則84条1項2号）を記載しなければならない[47]。

3　添付資料

①　確定した子の返還を命ずる終局決定の正本（ハーグ条約実施規則84条2項柱書）

②　子の生年月日を証する書類の写し（同規則84条2項1号）

4　申立費用

・収入印紙2000円

45　子の返還申立事件が家事調停に付された場合において，子の返還の合意が成立し，その合意を調停調書に記載したときには，子の返還の合意に係る記載部分は子の返還を命ずる終局決定と同一の効力を有する（ハーグ条約実施法145条3項）。
　　子の返還申立事件が家事調停に付された場合において，調停に代わる審判（家事法284条1項。高等裁判所においてされた調停に代わる審判を含む。）によって子の返還が命じられ，それが確定した場合，子の返還を命ずる部分は子の返還を命ずる終局決定と同一の効力を有する（ハーグ条約実施法145条4項）。

46　国際的な子の奪取の民事上の側面に関する条約の実施に関する法律による子の返還に関する事件の手続等に関する規則（平成25年最高裁判所規則第5号）

47　申立書の書式は，一般的な間接強制申立書（子の引渡し）と同じ。

・連絡用の郵便切手（申立先の家庭裁判所へ確認してください。）

5　債務者の審尋

間接強制の申立てがされると，子の返還申立事件において子の返還を命じられた者（債務者）の審尋を経た上で決定がされる（民執法172条 3 項）。

6　決定

申立てが認容される場合には，決定において子の返還に係る義務が明示され，その義務を履行しない場合に金銭（間接強制金）を支払うべきことが命じられる（強制金決定[48]）（民執法172条 1 項）。

なお，執行裁判所は，子が16歳に達した日の翌日以降に子を返還しないことを理由として金銭（間接強制金）の支払いを命ずることはできない（ハーグ条約実施法135条 2 項）。

7　執行抗告

間接強制の申立についての裁判に対し不服がある場合には，執行抗告をすることができる（民執法172条 5 項）。

8　間接強制金の支払いがない場合

間接強制金の支払いがない場合には，強制金決定を債務名義として，財産の差押等の金銭執行をすることが可能である。

9　間接強制によっても子の返還の履行がされない場合

間接強制によっても子の返還の履行がされない場合には，その決定が確定した日から 2 週間を経過した後（当該決定において定められた債務を履行すべき一定の期間の経過がこれより後である場合は，その期間を経過した後）に子の返還の代替執行の申立てをすることが可能になる（ハーグ条約実施法136条 1 号。なお，同条 2 号， 3 号の場合に間接強制前置が不要となったことは，前掲第 1 のとおり。）。

---

[48]　強制金決定の命じ方やその額については，強制金決定をする執行裁判所の判断に委ねられている。

　なお，その後も子の返還の代替執行の方法によらず間接強制の方法を選択することは妨げられない[49]。

第3節　子の返還の代替執行の手続

第1　概要

　代替執行は，子の解放を行う段階（解放実施）と，解放した子を常居所地国へ返還する段階（返還実施）からなる。前者の段階では解放実施者が子を解放して返還実施者に引渡し，後者の段階では返還実施者が子を常居所地国へ移動させる。

　ハーグ条約実施法では，解放実施者は執行官に限定されている（ハーグ条約実施法138条）。一方，返還実施者については特に限定はないが，代替執行の申立人は，申立時に返還実施者を特定しなければならない（同法137条）。執行裁判所は，その者が子の利益に照らして相当でないと認めれば，代替執行の申立てを却下する（同法139条）。

　返還実施者としては，基本的には子を連れ去られた親（LBP（Left Behind Parent））あるいは近しい親族が想定されている[50]。

第2　子の返還の代替執行の申立て

1　申立て

　確定した子の返還を命ずる終局決定（確定した子の返還を命ずる終局決定と同一の効力を有するもの[51]を含む。以下同じ。）の正本を債務名義として

49　金子ほか・ハーグ一問一答

50　日本弁護士連合会ハーグ条約に関するワーキンググループ編「国際的な子の奪取の民事上の側面に関する条約に関する実務マニュアル〈第3版〉」29頁

51　子の返還申立事件が家事調停に付された場合において，子の返還の合意が成立し，その合意を調停調書に記載したときには，子の返還の合意に係る記載部分は子の返還を命ずる終局決定と同一の効力を有する（ハーグ条約実施法145条3項）。

　子の返還申立事件が家事調停に付された場合において，調停に代わる審判（家事法284条1項。高等裁判所においてされた調停に代わる審判を含む。）によって子の返還が

（ハーグ条約実施法134条2項），子の返還申立事件の第一審裁判所である家庭裁判所（東京家庭裁判所又は大阪家庭裁判所）に子の返還の代替執行の申立てをする（民執法171条2項，33条2項1号・6号，22条3号・7号）。

　子の返還の代替執行の申立ては，次のいずれかに該当するときでなければすることができない[52]。

① 　間接強制決定が確定した日から2週間を経過したとき（当該決定において定められた債務を履行すべき一定の期間の経過がこれより後である場合は，その期間を経過したとき）（ハーグ条約実施法136条1号）

② 　間接強制を実施しても債務者が常居所地国に子を返還する見込みがあるとは認められないとき（同法136条2号）

③ 　子の急迫の危険を防止するため直ちに子の返還の代替執行をする必要があるとき（同法136条3号）

2　申立書記載事項

　子の返還の代替執行の申立書には，①間接強制の申立書の記載事項（前掲第2節第2．2）に加え，②返還実施者となるべき者の氏名及び住所（ハーグ条約実施規則84条1項3号イ），③返還実施者となるべき者が子の返還申立事件の申立人（債権者）と異なるときは，返還実施者となるべき者と子との関係などその者を返還実施者として指定することの相当性に関する事項（同規則84条1項3号ロ），④子の住所（同規則84条1項3号ハ），⑤子の返還の代替執行を求める理由（同規則84条1項3号ニ）を記載しなければならない。

　さらに，⑥ハーグ条約実施法136条2号又は3号に該当することを理由として子の返還の代替執行を求めるときは，これらの号に掲げる事由に該当する具体的な事実を記載しなければならない（ハーグ条約実施規則84条1項3号ホ）[53]。

命じられ，それが確定した場合，子の返還を命ずる部分は子の返還を命ずる終局決定と同一の効力を有する（ハーグ条約実施法145条4項）。

52　間接強制前置の見直しについては，第2節第1参照。具体例については，第4章第1節第4参照

53　「執行官に子の引渡しを実施させる決定申立書」（巻末書式〔85〕）

3　添付資料

① 確定した子の返還を命ずる終局決定の正本（ハーグ条約実施規則84条2項柱書）

② 子の生年月日を証する書類の写し（同規則84条2項1号）

③ 返還実施者となるべき者が子の返還申立事件の申立人（債権者）と異なる場合には，その者を返還実施者として指定することの相当性に関する事項についての証拠書類の写し（同規則84条2項2号）

④ 間接強制決定が確定した日から2週間を経過したとき（ハーグ条約実施法136条1号）に該当することを理由として子の返還の代替執行を求めるときは，間接強制決定の謄本，確定証明書（同規則84条2項3号）。

4　申立費用

・収入印紙2000円

・連絡用の郵便切手（申立先の家庭裁判所へ確認してください。）

5　債務者の審尋

　子の返還の代替執行の申立てがされると，原則として，子の返還申立事件において子の返還を命じられた者（債務者）の審尋を経た上で決定がされる（民執法171条3項）。

　例外的に，子に急迫した危険があるときその他の審尋をすることにより強制執行の目的を達することができない事情があるときには，債務者の審尋を経ることなく子の返還を実施させる決定（ハーグ条約実施法134条1項の決定）をすることが可能となった（ハーグ条約実施法138条2項）[54]。

6　決定

　申立てが認容される場合には，子の解放実施を行う者として執行官が，子の返還実施を行う者として返還実施者がそれぞれ指定される（ハーグ条約実施法138条1項）。

---

[54] 債務者審尋に関する規律の見直しについては，前掲第2章第2節第4参照。審尋の内容については，前掲第4章第1節第5参照。

7　執行抗告

　子の返還の代替執行の申立てについての裁判に対し不服がある場合には，執行抗告をすることができる（民執法171条 5 項）。

　執行抗告は，子の返還の代替執行の決定（授権決定）においてした返還実施者の指定が子の利益に照らして相当でないことを理由としてすることもできる[55]。

8　第三者の占有する場所での執行の許可の申立て

⑴　執行場所に関する見直し

　旧ハーグ条約実施法140条 1 項・ 2 項は，国際的な子の返還の代替執行における執行の場所については，債務者の住居等の債務者の占有する場所を基本とした上で，それ以外の場所を執行の場所とするためには，①執行官が，子の心身に及ぼす影響，当該場所及びその周囲の状況その他の事情を考慮して相当と認めるときでなければならず，②当該場所の占有者の同意を要することとしていた。

　もっとも，②の要件については，常に占有者の同意を要することとすると，諸事情により同意が得られない場合には執行不能となってしまうこととなる。債務者が祖父母に子を預けるなどした結果，その場所が子の住居となっているような場合には，その場所で強制執行を行う必要性が特に高いものと考えられる。

　そこで，改正後のハーグ条約実施法140条 1 項は，民事執行法175条 3 項の規定を準用し，子の住居が債務者の占有する場所以外の場所である場合において，当該場所の占有者の同意が得られない場合であっても，執行裁判所は，債務者と当該場所の占有者との関係，当該占有者の私生活又は業務に与える影響その他の事情を考慮して相当と認めるときは，債権者の申立てにより，当該占有者の同意に代わる許可をすることができることとして，子の返還の代替執行を実施可能なものとした[56,57]。

⑵　許可の要件

---

[55]　金子ほか・ハーグ一問一答：272頁

[56]　内野ほか・金法2124号：315頁

[57]　前掲第 4 章第 1 節第 9 参照

許可の要件については，前掲第 4 章第 1 節第 9 参照。

⑶　申立書記載事項

　同意に代わる許可の申立書には，①子の住居及びその占有者の氏名又は名称，②申立ての理由を記載しなければならない（ハーグ条約実施規則91条，民執規則159条 1 項）。

　また，申立ての理由として，申立てを理由付ける事実を具体的に記載し，かつ，立証を要する事由ごとに証拠を記載しなければならない（ハーグ条約実施規則91条，民執規則159条 2 項，27条の 2 第 2 項)[58]。

⑷　申立費用，不服申立て，執行官による文書の提示

　前掲第 4 章第 1 節第 9 参照

9　債権者代理人の出頭の下での執行を認める決定申立て

⑴　債務者同時存在の見直し

　旧ハーグ条約実施法140条 3 項は，子の返還の代替執行においては，執行の場所で子が債務者とともにいる場合（いわゆる「同時存在」の場合）でなければ，執行官が債務者による子の監護を解くために必要な行為（解放実施）をすることができないとしていた（同時存在の原則）。

　これは，債務者が不在の場で執行を行うものとすると子が事態を飲み込むことができずに不安を覚えるおそれがあること等を考慮したとされている。

　しかし，このような子と債務者の同時存在を要求することに対しては，実務において，債務者が，子を祖父母に預けるなどして意図的に同時存在の状況を回避しようとする事案のほか，債務者側が執行の場所で執行官による説得等に応じずに激しく抵抗するといった事案が少なからず存在していた。また，執行の場所で子が債務者から，どちらの親と生活したいか意見を述べるよう迫られるなど，同時存在を要求することが子の心身に過度な負担を与えるような状況を生じさせているとの指摘がなされるなどしていた。

　そこで，改正後のハーグ条約実施法140条 1 項は，民執法175条の規定を

---

[58]　申立書式「第三者の占有する場所での執行の許可申立書」（巻末書式〔86〕）

準用し，このような子と債務者の同時存在の要件は不要とした上で，債務者の不在により子が執行の場所で不安を覚えることがないよう，原則として債権者本人（子の返還申立事件の申立人）の出頭を要求することとした。また，改正後のハーグ条約実施法140条１項において準用する民事執行法175条６項は，債権者本人が執行の場所に出頭することができない場合であっても，債権者の代理人が債権者に代わってその場所に出頭することが，当該代理人と子の関係，当該代理人の知識及び経験等の事情に照らして子の利益の保護のために相当と認められるときは，執行裁判所の決定に基づき，例外的に，当該代理人が当該場所に出頭したときでも，執行官が債務者による子の監護を解くために必要な行為（解放実施）をすることを認めた。

(2)　要件

　　要件については，前掲第４章第１節第10参照

(3)　申立書記載事項

　　債権者代理人の出頭の下での執行を認める決定申立書には，①ハーグ条約実施法140条１項において準用する民事執行法175条６項の代理人となるべき者の氏名及び住所，②申立の理由を記載しなければならない（ハーグ条約実施規則91条１項，民執規則160条１項）。

　　また，申立ての理由として，申立てを理由付ける事実を具体的に記載し，かつ，立証を要する事由ごとに証拠を記載しなければならない（ハーグ条約実施規則91条１項，民執規則160条２項，27条の２第２項）[59]。

(4)　申立費用，不服申立て

　　前掲第４章第１節第10参照

第 3　解放実施の申立て

1　申立て

　子の返還の代替執行の決定（授権決定）に基づいて子の返還を実施するためには，子の所在地を管轄する地方裁判所に所属する執行官に対して，解放

---

[59]　申立書式「債権者代理人の出頭の下での執行を認める決定申立書」（巻末書式〔87〕）

実施の申立てをする必要がある（執行官法2条1項本文，4条参照）。

　事前相談については，前掲第4章第2節第1・2参照。

2　申立書記載事項

　解放実施の申立書には，次に掲げる事項を記載しなければならない[60]。

① 　債権者及び債務者の氏名又は名称及び住所，代理人の氏名及び住所並びに債権者の生年月日（ハーグ条約実施規則91条1項，民執規則158条1項1号）

② 　債権者又はその代理人の郵便番号及び電話番号（ファクシミリの番号を含む。）（ハーグ条約実施規則91条1項，民執規則158条1項2号）

③ 　子の氏名，生年月日，性別及び住所（ハーグ条約実施規則91条1項，民執規則158条1項3号）

④ 　債務者の住居その他債務者の占有する場所において解放実施を求めるときは，当該場所（ハーグ条約実施規則91条1項，民執規則158条1項4号）

⑤ 　上記④の場所以外の場所において解放実施を求めるときは，その場所，その場所の占有者の氏名又は名称及びその場所において解放実施を行うことを相当とする理由並びに当該占有者の同意に代わる許可（ハーグ条約実施法140条1項，民執法175条3項）があるときは，その旨（ハーグ条約実施規則91条1項，民執規則158条1項5号）

⑥ 　債権者代理人の出頭の下での執行を認める決定（ハーグ条約実施法140条1項，民執法175条6項）があるときは，その旨並びにその代理人の氏名及び生年月日（ハーグ条約実施規則91条1項，民執規則158条1項6号）

⑦ 　解放実施を希望する期間（ハーグ条約実施規則91条1項，民執規則158条1項7号）

⑧ 　返還実施者の氏名，生年月日及び住所並びに日本国内における居所及び連絡先（ハーグ条約実施規則91条2項）

60　申立書式「解放実施申立書」（巻末書式〔89〕）

3　添付資料

① 子の返還の代替執行の決定（授権決定）正本（ハーグ条約実施規則91条1項，民執規則158条2項柱書）

② 債務者及び子の写真その他の執行官が引渡実施を行うべき場所においてこれらの者を識別することができる資料（ハーグ条約実施規則91条1項，民執規則158条2項1号）…写真についてはできる限り直近に撮影されたもの（撮影年月日を明らかにする）で複数枚（全身，上半身，顔，角度・服装・表情が異なるもの）あるのが望ましい。写真がない場合は，子の身体的特徴等を記載した報告書，陳述書等を提出する。

③ 債務者及び子の生活状況に関する資料（ハーグ条約実施規則91条1項，民執規則158条2項2号）…子の返還を命ずる決定（写し），家裁調査官作成の調査報告書，当事者作成の陳述書，執行場所の周囲の状況に関する書類などを含む子の返還申立事件の一件資料を提出する。

④ 占有者の同意に代わる許可（ハーグ条約実施法140条1項，民執法175条3項）があるときは，その許可を受けたことを証する文書（ハーグ条約実施規則91条1項，民執規則158条2項3号）

⑤ 債権者代理人の出頭の下での執行を認める決定（ハーグ条約実施法140条1項，民執法175条6項）があるときは，その決定の謄本（ハーグ条約実施規則91条1項，民執規則158条2項4号）

⑥ 子の生年月日を証する書類の写し（ハーグ条約実施規則91条2項）…例：パスポートの写し

⑦ その他，債務者に関する調査票[61]，執行場所の周辺地図（最寄り駅から執行場所までの経路が分かるもの）も提出する。

4　申立費用

前掲第4章第2節第1・5参照。

5　債権者の出頭

⑴　債務者同時存在の見直し

---

[61]　書式「債務者に関する調査票」（巻末書式〔90〕）

　旧ハーグ条約実施法140条3項は，子の返還の代替執行においては，執行の場所で子が債務者とともにいる場合でなければ執行官が債務者による子の監護を解くために必要な行為（解放実施）をすることができないとしていた（同時存在の原則）。

　しかし，債務者が子を祖父母に預けるなどして意図的に同時存在の状況を回避しようとする事案や，債務者側が執行の場所で激しく抵抗するといった事案が少なからず存在しており，同時存在を要することが子の心身に過度な負担を与えるような状況を生じさせているとの指摘もあった。

　そこで，改正後のハーグ条約実施法140条1項は，民執法175条の規定を準用し，このような子と債務者の同時存在の要件は不要としたうえで，債務者の不在により子が執行の場所で不安を覚えることがないよう，債権者本人（子の返還申立事件の申立人）もしくはその代理人が返還実施者として執行の場所に出頭した場合に限り，債務者がその場にいなくても執行官による子の解放を可能とした[62·63]。

(2)　返還実施者の出頭

　ハーグ条約実施法に基づく国際的な子の返還の代替執行においては，債務者に代わって常居所地国に子を返還する者である「返還実施者」が指定され（ハーグ条約実施法138条1項），執行官が債務者による子の監護を解くために必要な行為（解放実施）は，返還実施者が執行の場所に出頭したときに限り行うことができるとされている（ハーグ条約実施規則88条2項）。

　そのため，ハーグ条約実施法に基づく子の返還の代替執行においては，債権者以外の者が返還実施者に指定された場合には，原則として，債権者及び返還実施者の双方が執行の場所に出頭する必要があることとなる[64·65]。

62　前掲第4章第2節第2参照

63　内野ほか・金法2124号：317頁

64　債権者が返還実施者に指定された場合には，債権者本人が執行の場所に出頭することにより，いずれの要件も満たすこととなる。

65　内野ほか・金法2124号：318頁

⑶　債権者の「代理人」の限定

　国内の子の引渡しの場面では，債権者だけでなくその「代理人」についても，執行官から子の監護を引き受けて執行を完了させることが予定されているのに対し，国際的な子の返還の場面では，返還実施者が執行官から子の監護を引き受けて国外までの返還を行うことが予定されており，その権限を代理する者の存在が許容されていない。

　そのため，国際的な子の返還の場面において返還実施者ではない債権者又はその代理人が債務者の住居等への立入りが許されるのは，純粋に子の心情を落ち着かせるためであり，子の監護を引き受けるためではない。

　そこで，改正後のハーグ条約実施法では，このような債権者又はその代理人の役割に照らし，債務者の住居への立入り等をすることができる債権者の「代理人」については，同法「140条 1 項において準用する 6 項に規定する代理人」（債権者の代理人のうち，債権者に代わって執行の場所に出頭することが相当であると執行裁判所から認められた代理人）に限定されている（ハーグ条約実施法140条 1 項，民執法175条（ 8 項を除く））[66]。

6　執行場所，解放実施に関する債権者等の協力等，解放実施における執行官の権限，解放実施の終了

前掲第 4 章第 2 節第 3 乃至第 6 参照

　国内での子の引渡しの場面と国際的な子の返還の場面とは，事案は異なるものの，基本的には，執行官の権限の内容に実質的な違いはないものと考えられる。もっとも，国際的な子の返還の場面では，執行官のほかに返還実施者が手続の実施主体として存在しているため，執行官は，返還実施者に対しても必要な指示をすることができるほか（ハーグ条約実施法140条 1 項，民執法175条（ 8 項を除く）），子の返還の代替執行に関しては，外務大臣が立会いその他の必要な協力をすることができるとされている（ハーグ条約実施法142条）といった違いがある[67]。

66　内野ほか・金法2124号：322頁
67　内野ほか・金法2124号：325頁

7　返還実施

　執行官から子の引渡しを受けた返還実施者は，常居所地国に子を返還するために，子の監護その他の必要な行為をすることができる（ハーグ条約実施法141条1項）。

　返還実施者としては，中央当局の協力を得て，できるだけ速やかに子を常居所地国へ返還するようにしなければならない。

第4　子の心身への配慮（執行裁判所，執行官及び返還実施者の責務）

　国際的な子の返還の代替執行の場面においては，国内の子の引渡しの直接的な強制執行の場面と同様に，その過程で子の心身に負担が生じうる。そこで，改正後のハーグ条約実施法140条1項及び141条3項は，子の返還の代替執行の手続について民事執行法176条の規定を準用し，執行裁判所，執行官及び返還実施者の責務として，強制執行が子の心身に有害な影響を及ぼさないように配慮しなければならないとした。

　配慮の具体的な内容については，国内の子の引渡しの直接的な強制執行における配慮と基本的に同内容となると考えられる[68]。

第4節　施行日と経過措置

　改正法の施行日は，令和2年4月1日である（改正法附則1条，令和元年政令189号）。

　施行日前に申立てられた子の返還の強制執行の事件については，なお従前の例による（改正法附則8条）。

（大江　千佳）

---

[68]　前掲第4章第3節参照

巻末書式集

1　書式の出典

　巻末掲載の書式は，以下のものを除き，大阪地方裁判所第14民事部のホームページに掲載されているものです。

　ア　書式〔14〕〔16〕〔78〕〜〔81〕〔88〕〔89〕は，大阪地方裁判所第14民事部から紙面で開示を受け，転載の許諾をいただいたものです。

　イ　書式〔83〕は，不動産競売物件情報サイト（BIT）のホームページ内の「手続案内」の「入札等の手続について」に掲載されているものです。

　ウ　書式〔82〕〔90〕は，東京地方裁判所民事第21部（民事執行センター・インフォメーション21）のホームページに掲載されているものです。

　エ　書式〔49〕は，東京地方裁判所民事第21部劔持淳子判事が金融法務事情2132号29頁に参考書式として紹介・掲載されているものです。

　オ　書式〔91〕〔92〕は，東京家庭裁判所村井壯太郎判事が家庭の法と裁判28号48頁，49頁に紹介・掲載されているものです。

2　書式ご利用の際のご注意

　⑴　上記1の書式は，本書執筆時点（令和2年10月）時点のものです。今後，改訂されることがあります。

　⑵　書式ご利用に際しては，上記大阪地方裁判所第14民事部のホームページなどで最新のものをご確認いただき，ご利用ください。

　⑶　なお，上記1ア及びエは，本書執筆時点において裁判所等のホームページに掲載されていませんが，今後，掲載される可能性があります。また，ホームページには掲載されなくても，その書式が改訂されていることがあります。最新の書式について，裁判所窓口にお問い合わせの上，最新のものをご利用ください。

書式の目次

177

1　財産開示手続申立て関係

⑴　債務名義に基づく申立て関係

〔1〕財産開示手続申立書の表書き（債務名義）

財産開示手続申立書

大阪地方裁判所第14民事部　御中
　　令和　　年　　月　　日

　　　　　　　　　　　　　申立人
　　　　　　　　　　　　　　　　　　　　　　　　　　　　　　印
　　　　　　　　　　　　　電　話　　　　－　　　　　－
　　　　　　　　　　　　　ＦＡＸ　　　　－　　　　　－
　　　　　　　　　　　　　　　　　　　　（担当　　　　）

　　　　　　当事者　　　　別紙当事者目録記載のとおり
　　　　　　請求債権　　　別紙請求債権目録記載のとおり

　申立人は，債務者に対し，別紙請求債権目録記載の執行力のある債務名義の正本
に記載された請求債権を有しているが，債務者がその支払をせず，下記の要件に該
当するので，債務者について，財産開示手続の実施を求める。
　　　　　　　　　　　　　　　記
1　民事執行法197条1項の要件（該当する□に✔を記入してください。）
　　　　　□　強制執行又は担保権の実行における配当等の手続（本件申立ての日より
　　　　　　6月以上前に終了したものを除く。）において，金銭債権の完全な弁済を得
　　　　　　ることができなかった（1号）。
　　　　　□　知れている財産に対する強制執行を実施しても，金銭債権の完全な弁済
　　　　　　を得られない（2号）。
2　民事執行法197条3項の要件（該当する□に✔を記入してください。）
　　債務者が，本件申立ての日前3年以内に財産開示期日においてその財産につい
　て陳述したことを
　　　　　□　知らない。
　　　　　□　知っている。
　　　→　<u>知っている。</u>に✔した場合，次のいずれかに✔を記入してください。
　　　　　□　債務者が当該財産開示期日において，一部の財産を開示しなかった
　　　　　　（1号）。
　　　　　□　債務者が当該財産開示期日の後に新たに財産を取得した（2号）。
　　　　　　（取得した財産　　　　　　　　　　　　　　　　　　　　　　）
　　　　　□　当該財産開示期日の後に債務者と使用者との雇用関係が終了した
　　　　　　（3号）。

　添付書類　（該当する□に✔を記入してください。）
　　　　□　執行力ある債務名義の正本　　　　　通
　　　　□　同送達証明書　　　　　　　　　　　通
　　　　□　同確定証明書　　　　　　　　　　　通
　　　　□　資格証明書　　　　　　　　　　　　通
　　　　□　住民票　　　　　　　　　　　　　　通
　　　　□
　　　　□

　証拠書類　（該当する□に✔を記入してください。）
1　民事執行法197条1項1号関係
　　　　□　配当表写し　　　　　　　　　　　　通
　　　　□　弁済金交付計算書写し　　　　　　　通
　　　　□　不動産競売開始決定写し　　　　　　通
　　　　□　債権差押命令写し　　　　　　　　　通
　　　　□
　　　　□

2　民事執行法197条1項2号関係
　　　　□　財産調査結果報告書　　　　　　　　部
　　　　□
　　　　□

3　民事執行法197条3項関係
　　　　□　財産開示期日調書写し　　　　　　　通
　　　　□　財産調査結果報告書　　　　　　　　部
　　　　□　退職証明書・聴取書　　　　　　　　通
　　　　□
　　　　□

〔2〕当事者目録

当 事 者 目 録

〒............－............

（住　　所）　　..

....

申　立　人　　..

....

電話番号　　............（............）............

Ｆ Ａ Ｘ　　............（............）............

（送達場所）　□上記記載の住所

□〒............－............

....

....

〒............－............

（住　　所）　　..

....

債　務　者　　..

....

〔3〕請求債権目録（判決正本等に基づく場合）

請 求 債 権 目 録

.................裁判所　　　平成・令和........年（＿）第.................号　事件の
下記債務名義（□に☑又は■のもの）に表示された下記債権

記

□　執行力のある　判決正本

□　執行力のある　第........回　口頭弁論調書（判決）正本

□

1　元　　金　　　　金................................円

　　　ただし，主文第........項の金員（□内金　□残金）

2　損　害　金

　　　上記1に対する　平成・令和........年........月........日から支払済みまで，年........パー

　　セントの割合による損害金

〔4〕請求債権目録（和解調書正本等の場合）

請　求　債　権　目　録

.................裁判所　　　平成・令和......年（ ）第.................号　　事件の
下記債務名義（□に☑又は■のもの）に表示された下記債権

記

□　執行力のある　和解調書正本

□　執行力のある　第......回　口頭弁論調書（和解）正本

□　執行力のある　第......回　弁論準備手続調書（和解）正本

□

1　元　　　金　　　　金..円

　　ただし，和解条項　第......項の金員（□内金　□残金）

2　損　害　金

　　上記1に対する　平成・令和......年......月......日から支払済みまで，年......パー
セントの割合による損害金

〔5〕請求債権目録（仮執行宣言付支払督促正本の場合）

請 求 債 権 目 録

＿＿＿＿＿＿簡易裁判所　平成・令和＿＿＿＿年（ロ）第＿＿＿＿＿＿＿号　事件の
仮執行宣言付支払督促正本に表示された下記債権

記

1　元　　金　　　　　金＿＿＿＿＿＿＿＿＿＿＿＿＿＿＿＿＿円

2　損　害　金

　　　上記1に対する　平成・令和＿＿＿年＿＿月＿＿日から支払済みまで，年＿＿パー
　　セントの割合による損害金

〔6〕請求債権目録（調停調書正本・審判の正本の場合（養育費））

請 求 債 権 目 録

（扶養義務等に係る確定債権及び定期金債権）

```
..............家庭裁判所      平成・令和......年（...）第..............号
        ┌ □調停調書 ┐
事件の ┤ □審判    ├  正本に表示された下記債権
        └ □      ┘
```

記

1　確定期限が到来している債権

　金..円

　　　ただし，申立人，債務者間の..........................についての平成・令和......年

　　......月から令和......年......月まで，1か月金..............円の養育費の未払分

　　（支払期日　毎月□......日，□当月分を翌月......日）

2　確定期限が到来していない定期金債権

　　　令和......年......月から令和......年......月

　　（債権者，債務者間の..........................が満......歳に達する日の属する月）まで，

　　毎月（□......日，□当月分を翌月......日）限り，金..............円ずつの養育費

（該当する□を☑又は■にする。）

〔7〕請求債権目録（調停調書正本・審判の正本の場合（婚姻費用））

請 求 債 権 目 録

（扶養義務等に係る確定債権及び定期金債権）

_____家 庭 裁 判 所　　　平成・令和_____年（___）第_____号

事件の ┌ □ 調停調書 ┐
　　　 │ □ 審判　　├　　正本に表示された下記債権
　　　 └ □　　　　┘

記

1　確定期限が到来している債権

　　金_____円

　　　　ただし，平成・令和_____年_____月から令和_____年_____月まで，

　　　　1 か月　金_____円の婚姻費用の未払分

　　　　（支払期日　毎月□_____日，□当月分を翌月_____日）

2　確定期限が到来していない定期金債権

　　　令和_____年_____月から離婚又は別居の解消に至るまでの間，

　　　毎月（□_____日，□当月分を翌月_____日）限り，金_____円ずつの婚姻

　費用

（該当する□を ☑ 又は ■ にする。）

〔8〕請求債権目録（公正証書正本の場合（一般債権））

請 求 債 権 目 録

　　　　　　　　法務局所属　公証人　　　　　　　　　作成の執行力のある

平成・令和　　　年　第　　　　　号　　　　　　　　　　　　　　契約公正

証書の正本に表示された下記債権

記

1　元　　金　　　　金　　　　　　　　　　　　　　　　円

　　ただし，第　　項の金員（□内金　□残金）

2　損 害 金

　　上記1に対する 平成・令和　　年　　月　　日から支払済みまで，年　　パー

　セントの割合による損害金

〔9〕請求債権目録（公正証書正本の場合（養育費））

請 求 債 権 目 録

（扶養義務等に係る確定債権及び定期金債権）

_____法務局所属　公証人_____作成の執行力のある
平成・令和_____年　第_____号_____契約公正
証書の正本に表示された下記債権

記

1　確定期限が到来している債権

金_____円

　　ただし，申立人，債務者間の_____についての

平成・令和_____年_____月から令和_____年_____月まで，1か月金_____円

の養育費の未払分（支払期日　毎月□_____日，□当月分を翌月_____日）

2　確定期限が到来していない定期金債権

　　令和_____年_____月から令和_____年_____月

　　（債権者，債務者間の_____が満_____歳に達する日の属する月）まで，

毎月（□_____日，□当月分を翌月_____日）限り，金_____円ずつの養育費

（該当する□を☑又は■にする。）

〔10〕請求債権目録（公正証書正本の場合（婚姻費用））

請 求 債 権 目 録

（扶養義務等に係る確定債権及び定期金債権）

............................法務局所属　公証人........................作成の執行力のある

平成・令和.......年　第............号..契約公正

証書の正本に表示された下記債権

記

1　確定期限が到来している債権

　　金..円

　　　　ただし，平成・令和.......年.......月から令和.......年.......月まで，

　　　　1 か月　金........................円の婚姻費用の未払分

　　　　（支払期日　毎月□.......日，□当月分を翌月.......日）

2　確定期限が到来していない定期金債権

　　　　令和.......年.......月から離婚又は別居の解消に至るまでの間，

　　　　毎月（□.......日，□当月分を翌月.......日）限り，金........................円ずつの婚姻

費用

（該当する□を☑又は■にする。）

〔11〕財産調査結果報告書（個人用）

財産調査結果報告書（個人用）

【記載事項】
「1-1 過去3年以内の手続の確認」（1頁目）から「7 その他の財産」及び「住居表示に関する説明書」（6頁目）まであります。文中の指示に従って、必要なものを記入・提出してください。
※不明な点は、別途、説明書面や裏付資料の提出（補正など）を求めることがあります。

【記載上の注意事項】
1 該当する欄の□にレ点を付け、必要な事項を記入してください。
2 欄が足りないときは、適宜の用紙（A4判）を追加してください（その場合には、該当する欄に「別紙のとおり」と記載してください）。

大阪地方裁判所第14民事部 御中

令和　　年　　月　　日
申立人（□代理人）＿＿＿＿＿＿＿＿＿＿＿＿＿　印

債務者＿＿＿＿＿＿＿＿の財産を調査した結果（調査方法を含む）は、次のとおりです。

したがって、私の知っている債務者の財産に対して強制執行を実施しても、請求債権の完全な弁済を得られません。

1-1　過去3年以内の手続の確認
過去3年以内に財産開示又は情報取得が実施されましたか。該当するものを選択し（□にレ点）記入してください。
□ はい 　　→1-2へ
□ いいえ 　　→2ページ以下に進みすべて記入してください。

	提出する疎明資料 （右記一覧の番号）	疎明資料一覧
1-2　過去3年以内の財産開示または情報取得の結果 　次のア、イ、ウ、エのうちから該当するものを選択し（□にレ点）、必要事項を記入してください。		【過去の手続関係】
ア □ **財産開示手続が行われたが、債務者が期日に出頭せず、財産が判明しなかった。** 　※疎明資料として＿＿＿＿＿＿＿＿を提出する。→1-3へ 　　〔疎明資料一覧からアルファベットを選択〕	A（B1＋B2も可）	A　財産開示期日が実施されたことの証明書 B1　財産開示期日調書（写し）
イ □ **財産開示手続が行われ、債務者が期日に出頭したが、十分な財産は判明しなかった。** 　※疎明資料として＿＿＿＿＿＿＿＿を提出する。→1-3へ 　　〔疎明資料一覧からアルファベットを選択〕	B1	B2　財産開示手続実施決定（写し） B3　情報提供命令（写し）
ウ □ **情報取得手続が行われ、その中で、2ページ以下を記入した財産調査結果報告書を提出した。** 　※疎明資料として＿＿＿＿＿＿＿＿を提出する。→1-3へ 　　〔疎明資料一覧からアルファベットを選択〕	B3＋B4＋B5	B4　全ての情報提供書（写し） B5　情報取得手続時に提出した財産調査結果報告書（写し）
エ □ ア、イ、ウのいずれにも該当しない。＿＿＿＿を提出する。 　※疎明資料として＿＿＿＿＿＿＿＿ 　　〔疎明資料一覧からアルファベットを選択〕 　　→2ページ以下に進みすべて記入してください。	B3＋B4＋B5 ※B5は提出した場合のみ	
1-3　その後の事情 　以下に該当する場合は、□にレ点を記入してください。		
□ **上記財産開示・情報取得後、債務者が転居していません。**		
□ **上記財産開示・情報取得後、債務者の新たな財産は判明していません。**		
上記のうちいずれかに該当しないものがある場合 　　　　→2ページ以下に進みすべて記入してください。 上記両方に該当した場合　→記入は終了です。 　　　　※ただし、追加資料が必要になる場合があります。		

	提出する疎明資料 （右記一覧の番号）	疎明資料一覧
2 債務者の住所地の不動産 　次のア，イのうちから該当するものを選択し（□にレ点），必要事項を記入してください。		【所有権確認関係】
ア □　債務者住所地の不動産（□土地・□建物）は，債務者の所有ではない。 　　※疎明資料として＿＿＿＿＿＿＿＿＿＿＿＿を提出する。 　　〔疎明資料一覧からアルファベットを選択〕	C（原本） 及びD（ただし，住居表示が異なる場合のみ） 〔Cが取得できないときは，EかFのいずれか〕	C　不動産登記事項証明書（3か月以内のもの） D　住居表示に関する説明書（末尾に書式あり） E　賃貸借契約書（写し） F　その他，債務者の所有不動産ではないことを疎明する文書
イ □　債務者住所地の不動産（□土地・□建物）は，債務者の所有であるが，この不動産では完全な弁済を得られない。 　　評価額　　　　　　　　　　　円 　　被担保債権額　　　　　　　　円 　　※疎明資料として＿＿＿＿＿＿＿＿＿＿＿＿を提出する。 　　〔疎明資料一覧からアルファベットを選択〕	C（原本） 及びD（ただし，住居表示が異なる場合のみ） G〜Iのいずれか	【評価額確認関係】 G　不動産業者の評価書・査定書（1年以内のもの） H　固定資産評価証明書・公課証明書
3 その他の場所の不動産 　次のア，イ，ウのうちから該当するものを選択し（□にレ点），必要事項を記入してください。 〔6か月以内の転居がある場合は，ア又はイを選択したうえ，旧住所について必ず記載してください。〕		I　その他，債務者所有の不動産に競売手続をしても無剰余（※）であることを疎明する文書（※強制執行をしても申立人に配当金が回らない見込みのこと）
ア □　次の（□土地・□建物）を調査した結果，債務者の所有でないことが判明した。 　　調査した住所（　　　　　　　　　　　　　　　　） 　　この場所は債務者の（□旧住所・□事業所，店舗・□　　　　　　　）である。 　　※疎明資料として＿＿＿＿＿＿＿＿＿＿＿＿を提出する。 　　〔疎明資料一覧からアルファベットを選択〕	C（写し可） 及びD（ただし，住居表示が異なる場合のみ）	
イ □　次の（□土地・□建物）を調査した結果，債務者の所有であることが判明したが，この不動産では完全な弁済を得られない。 　　調査した住所（　　　　　　　　　　　　　　　　） 　　この場所は債務者の（□旧住所・□事業所，店舗・□　　　　　　　）である。 　　※疎明資料として＿＿＿＿＿＿＿＿＿＿＿＿を提出する。 　　〔疎明資料一覧からアルファベットを選択〕 　　評価額　　　　　　　　　　　円 　　被担保債権額　　　　　　　　円 　　※疎明資料として＿＿＿＿＿＿＿＿＿＿＿＿を提出する。 　　〔疎明資料一覧からアルファベットを選択〕	C（写し可） 及びD（ただし，住居表示が異なる場合のみ） G〜Iのいずれか	
ウ □　次の理由により調査が困難である。 　（理由記入欄） 		

	提出する疎明資料 （右記一覧の番号）	疎明資料一覧
4 債務者の給与（報酬・賃金等） 　次のア，イ，ウのうちから一つを選択し（□にレ点），必要事項を記入してください。 ア □ 債務者の給与（報酬・賃金等）は次のとおりである。 　　　就業場所（所在地）→ 　　　雇用者（会社名）→ 　　　給与形態→ 年・月・週・日・不明　〔※年収なら「年」に○を付すなど，該当するものに○を付けてください。〕 　　　　　約＿＿＿＿＿＿＿＿＿＿円 ・ 不明 　　　　〔※知っている金額を記載してください。不明の場合は「不明」に○を付けてください。〕 　　※疎明資料として＿＿＿＿＿＿＿＿＿＿を提出する。 　　　　〔疎明資料一覧からアルファベットを選択〕		【給与（報酬・賃金等）関係】 J　給与の債権差押命令正本（写し），第三債務者からの陳述書（写し） K　債権配当事件の直近の配当表（写し） L　弁護士法照会による勤務先等からの回答書（写し） M　債務者の勤務先等に関する調査報告書その他の疎明資料
	→ J～Mのいずれか	
イ □ 次の調査を行ったが，在職していなかった。 　　※疎明資料として＿＿＿＿＿＿＿＿＿＿を提出する。 　　　　〔疎明資料一覧からアルファベットを選択〕 　　（調査方法記入欄）	→ J，L，Mのいずれか	
ウ □ 次の理由により調査が困難である。 　　（理由記入欄）		

	提出する疎明資料 (右記一覧の番号)	疎明資料一覧
5 債務者の預貯金 次のア,イ,ウのうちから一つを選択し(□にレ点),必要事項を記入してください。		【預貯金関係】 N 預貯金の債権差押命令正本(写し),第三債務者からの陳述書(写し)

ア □ 債務者の預貯金は次のとおりである。
〔※欄が足りないときは適宜追加してください。〕
 	
      銀行・信用金庫   支店
(年   月   日現在の残高   円)
 	
      銀行・信用金庫   支店
(年   月   日現在の残高   円)
 	
      銀行・信用金庫   支店
(年   月   日現在の残高   円)
 	
※疎明資料として＿＿＿＿＿＿＿を提出する。
〔疎明資料一覧からアルファベットを選択〕
	← N〜Qのいずれか	O 債権配当事件の直近の配当表(写し)
		
		P 弁護士法照会による金融機関からの回答書(写し)
		
		Q 債務者の預貯金に関する調査報告書その他の疎明資料

イ □ 次の調査を行ったが,預貯金がなかった。 ※疎明資料として＿＿＿＿＿＿＿を提出する。 〔疎明資料一覧からアルファベットを選択〕 (調査方法記入欄)	← N, P, Qのいずれか	
ウ □ 次の理由により調査が困難である。 (理由記入欄)		

	提出する疎明資料 （右記一覧の番号）	疎明資料一覧
6　債務者の動産（生活必需品を除く） 　次のア，イのうちから，一つを選択し（□にレ点），必要事項を記入してください。 ア □　債務者の動産については知らない。 イ □　私の知っている債務者の動産は次のとおりである。 　　※疎明資料として＿＿＿＿＿＿＿＿＿＿を提出する。 　　　　〔疎明資料一覧からアルファベットを選択〕 　　（動産の品名・数量等）	⎱ R～Tのいずれか 　（あれば）	【動産関係】 R　動産執行の執行調書 　謄本（写し） S　動産に対する強制執行手続の配当表写し T　債務者の動産に関する調査報告書その他の疎明資料

	提出する疎明資料 （右記一覧の番号）	疎明資料一覧
7　債務者のその他の財産（保険金，株式，売掛金，貸付金，暗号資産（仮想通貨）等） 　次のア，イのうちから一つを選択し（□にレ点），必要事項を記入してください。 ア □　債務者のその他の財産（保険金，株式，売掛金，貸付金，暗号資産（仮想通貨）等）については知らない。 イ □　私の知っている債務者のその他の財産（保険金，株式，売掛金，貸付金，暗号資産（仮想通貨）等）は次のとおりである。 　　※疎明資料として＿＿＿＿＿＿＿＿＿＿を提出する。 　　　　〔疎明資料一覧からアルファベットを選択〕 　　（財産の種類，額等）	⎱ U	【その他の財産関係】 U　債務者のその他の財産に関する調査報告書その他の疎明資料

198

（別紙）

> 疎明資料として提出した「不動産登記事項証明書」の表示と住居表示が異なる場合に作成してください。
> 次の1～3のうち，該当する項目の□にレ点を入れて，同欄に必要事項を記載してください。
> 物件ごとに1通作成してください。

住居表示に関する説明書

　　　債務者＿＿＿＿＿＿＿＿＿＿＿＿＿の【□住所地・□旧住所・□事業所，店舗・□　　　　　　】について

□1	債務者の住所が，住居表示では， 　「大阪府　　　　　　　　　　　　　　　　　　　　　　　　　」となっていますが， 　□大阪法務局　□　　　　　地方法務局　□　　　　　　　支局・出張所において， 前記住所地の不動産登記事項証明書の交付申請をするべく問い合わせたところ，登記表示の住所では，以下に該当するとの回答があり，以下の所在地の不動産登記事項証明書の交付を受けました。 土地「地番：大阪府　　　　　　　　　　　　　　　　　　　　　　」 建物「所在：大阪府　　　　　　　　　　　　　　　　　　　　　　 　　　　家屋番号：　　　　　　　　　　　　　　　　　　　　　　」
□2	別添のブルーマップ（　　　　　　住宅地図）の該当ページによると， 　住居表示の住所が赤色でマーキングした部分であり， 　登記表示の住所が青色でマーキングした部分になります。
□3	以下の方法で，住居表示の「大阪府　　　　　　　　　　　　　」は， 　登記表示の「大阪府　　　　　　　　　　　　　　　」に 　該当することを確認しました。

〔12〕財産調査結果報告書（法人用）

財産調査結果報告書(法人用)

【記載事項】
「1−1 過去3年以内の手続の確認」(1頁目)から「7 その他の財産」及び「住居表示に関する説明書」(5頁目)まであります。文中の指示に従って、必要なものを記入・提出してください。
※不明な点は、別途、説明書面や裏付資料の提出(補正など)を求めることがあります。

【記載上の注意事項】
1 該当する欄の□にレ点を付け、必要な事項を記入してください。
2 欄が足りないときは、適宜の用紙(A4判)を追加してください(その場合には、該当する欄に「別紙のとおり」と記載してください)。

大阪地方裁判所第14民事部 御中

令和　　年　　月　　日

申立人(□代理人) ＿＿＿＿＿＿＿＿＿＿＿＿＿ 印

債務者(法人)＿＿＿＿＿＿＿＿＿の財産を調査した結果(調査方法を含む)は、次のとおりです。

したがって、私の知っている債務者の財産に対して強制執行を実施しても、請求債権の完全な弁済を得られません。

1−1 過去3年以内の手続の確認
過去3年以内に財産開示又は情報取得が実施されましたか。該当するものを選択し(□にレ点)を記入してください。
□　はい 　　→1−2へ
□　いいえ 　　→2ページ以下に進みすべて記入してください。

	提出する疎明資料 (右記一覧の番号)	疎明資料一覧
1−2 過去3年以内の財産開示または情報取得の結果 　次のア、イ、ウ、エのうちから該当するものを選択し(□にレ点)、必要事項を記入してください。		【過去の手続関係】
ア □ **財産開示手続**が行われたが、債務者が期日に出頭せず、財産が判明しなかった。 ※疎明資料として＿＿＿＿＿＿を提出する。→1−3へ 〔疎明資料一覧からアルファベットを選択〕	A(B1＋B2も可)	A 財産開示期日が実施されたことの証明書
イ □ **財産開示手続**が行われ、債務者が期日に出頭したが、十分な財産は判明しない。 ※疎明資料として＿＿＿＿＿＿を提出する。→1−3へ 〔疎明資料一覧からアルファベットを選択〕	B1	B1 財産開示期日調書(写し)
ウ □ **情報取得手続**が行われ、その中で、2ページ以下を記入した財産調査結果報告書を提出した。 ※疎明資料として＿＿＿＿＿＿を提出する。→1−3へ 〔疎明資料一覧からアルファベットを選択〕	B3＋B4＋B5	B2 財産開示手続実施決定(写し)
エ □ ア、イ、ウのいずれにも該当しない。 ※疎明資料として＿＿＿＿＿＿を提出する。 〔疎明資料一覧からアルファベットを選択〕 →2ページ以下に進みすべて記入してください。	B3＋B4＋B5 ※B5は提出した場合のみ	B3 情報提供命令(写し) B4 全ての情報提供書(写し) B5 情報取得手続時に提出した財産調査結果報告書(写し)
1−3 その後の事情		
以下に該当する場合は、□にレ点を記入してください。		
□ 上記財産開示・情報取得後、債務者の本店は移転していません。		
□ 上記財産開示・情報取得後、債務者の新たな財産は判明していません。		
上記のうちいずれかに該当しないものがある場合 　　　　→2ページ以下に進みすべて記入してください。		
上記両方に該当した場合　→記入は終了です。 　　　※ただし、追加資料が必要になる場合があります。		

	提出する疎明資料 (右記一覧の番号)	疎明資料一覧
2 債務者の所在地の不動産 　次のア，イのうちから該当するものを選択し(□にレ点)，必要事項を記入してください。		**【所有権確認関係】** C　不動産登記事項証明書(3か月以内のもの)
ア □ 　債務者の本店所在地の不動産(□土地・□建物)は，債務者の所有ではない。 　※疎明資料として_____を提出する。 　〔疎明資料一覧からアルファベットを選択〕	C(原本) 及びD(ただし，住居表示が異なる場合のみ) 〔Cが取得できないときは，EかFのいずれか〕	D　住居表示に関する説明書(末尾に書式あり) E　賃貸借契約書(写し) F　その他，債務者の所有不動産ではないことを疎明する文書
イ □ 　債務者の本店所在地の不動産(□土地・□建物)は，債務者の所有であるが，この不動産では完全な弁済を得られない。 　評価額_____円 　被担保債権額_____円 　※疎明資料として_____を提出する。 　〔疎明資料一覧からアルファベットを選択〕	C(原本) 及びD(ただし，住居表示が異なる場合のみ) G～Iのいずれか	**【評価額確認関係】** G　不動産業者の評価書・査定書(1年以内のもの) H　固定資産評価証明書・公課証明書
3 その他の場所の不動産 　次のア，イ，ウのうちから該当するものを選択し(□にレ点)，必要事項を記入してください。 〔※6か月以内の本店の移転がある場合は，ア又はイを選択したうえ，旧本店所在地について必ず記載してください。〕		I　その他，債務者所有の不動産に競売手続をしても無剰余(※)であることを疎明する文書(※強制執行をしても申立人に配当金が回らない見込みのこと)
ア □ 　次の(□土地・□建物)を調査した結果，債務者の所有でないことが判明した。 　調査した住所(　　　　　　　　　) 　　この場所は債務者の(□旧本店所在地・□支店・□事業所，店舗・□　　　　　　)である。 　※疎明資料として_____を提出する。 　〔疎明資料一覧からアルファベットを選択〕	C(写し可) 及びD(ただし，住居表示が異なる場合のみ)	
イ □ 　次の(□土地・□建物)を調査した結果，債務者の所有であることが判明したが，この不動産では完全な弁済を得られない。 　調査した住所(　　　　　　　　　) 　　この場所は債務者の(□旧本店所在地・□支店・□事業所，店舗・□　　　　　　)である。 　※疎明資料として_____を提出する。 　〔疎明資料一覧からアルファベットを選択〕 　評価額_____円 　被担保債権額_____円 　※疎明資料として_____を提出する。 　〔疎明資料一覧からアルファベットを選択〕	 G～Iのいずれか	
ウ □ 　次の理由により調査が困難である。 　(理由記入欄)		

	提出する疎明資料 (右記一覧の番号)	疎明資料一覧
4 債務者の営業上の債権(売掛金・業務報酬債権等) 次のア,イのうちから一つを選択し(□にレ点),必要事項を記入してください。 ア □ 債務者の営業上の債権(売掛金・業務報酬債権等)については知らない。 イ □ 私の知っている債務者の営業上の債権(売掛金・業務報酬債権等)は次のとおりである。 ※疎明資料として＿＿＿＿＿＿＿を提出する。 〔疎明資料一覧からアルファベットを選択〕 (債権の種類, 額等)	→ J〜Mのいずれか	【営業上の債権関係】 J 債権差押命令正本(写し),第三債務者からの陳述書(写し) K 債権配当事件の直近の配当表(写し) L 弁護士法照会による取引先等からの回答書(写し) M 債務者の取引先等に関する調査報告書その他の疎明資料

	提出する疎明資料 (右記一覧の番号)	疎明資料一覧
5 債務者の預貯金 次のア,イ,ウのうちから一つを選択し(□にレ点),必要事項を記入してください。 ア □ 債務者の預貯金は次のとおりである。 [※欄が足りないときは適宜追加してください。] （ 　年 　月 　日現在の残高　銀行・信用金庫 　　支店 　円） （ 　年 　月 　日現在の残高　銀行・信用金庫 　　支店 　円） （ 　年 　月 　日現在の残高　銀行・信用金庫 　　支店 　円） ※疎明資料として＿＿＿＿＿＿＿を提出する。 〔疎明資料一覧からアルファベットを選択〕 イ □ 次の調査を行ったが,預貯金がなかった。 ※疎明資料として＿＿＿＿＿＿＿を提出する。 〔疎明資料一覧からアルファベットを選択〕 (調査方法記入欄) ウ □ 次の理由により調査が困難である。 (理由記入欄)	N〜Qのいずれか N, P, Qのいずれか	【預貯金関係】 N 預貯金の債権差押命令正本(写し),第三債務者からの陳述書(写し) O 債権配当事件の直近の配当表(写し) P 弁護士法照会による金融機関からの回答書(写し) Q 債務者の預貯金に関する調査報告書その他の疎明資料

	提出する疎明資料 (右記一覧の番号)	疎明資料一覧
6 債務者の動産(差押禁止動産(民執法131条)を除く) 次のア, イのうちから, 一つを選択し(□にレ点), 必要事項を記入してください。 ア □ 債務者の動産については知らない。 私の知っている債務者の動産は次のとおりである。 イ □ ※疎明資料として_____を提出する。 〔疎明資料一覧からアルファベットを選択〕 (動産の品名・数量等)	R〜Tのいずれか (あれば)	【動産関係】 R 動産執行の執行調書謄本(写し) S 動産に対する強制執行手続の配当表写し T 債務者の動産に関する調査報告書その他の疎明資料

	提出する疎明資料 (右記一覧の番号)	疎明資料一覧
7 債務者のその他の財産(保険金, 株式, 売掛金, 貸付金, 暗号資産(仮想通貨)等) 次のア, イのうちから一つを選択し(□にレ点), 必要事項を記入してください。 ア □ 債務者のその他の財産(保険金, 株式, 売掛金, 貸付金, 暗号資産(仮想通貨)等)については知らない。 私の知っている債務者のその他の財産(保険金, 株式, 売掛金, 貸付金, 暗号資産(仮想通貨)等)は次のとおりである。 イ □ ※疎明資料として_____を提出する。 〔疎明資料一覧からアルファベットを選択〕 (財産の種類, 額等)	U	【その他の財産関係】 U 債務者のその他の財産に関する調査報告書その他の疎明資料

（別紙）

> 疎明資料として提出した「不動産登記事項証明書」の表示と住居表示が異なる場合に作成してください。
> 次の1～3のうち, 該当する項目の□にレ点を入れて, 同欄に必要事項を記載してください。
> 物件ごとに1通作成してください。

住居表示に関する説明書

債務者(法人)＿＿＿＿＿＿＿の【□本店所在地・□旧本店所在地・□支店, □事業所, 店舗・□　　　　　　】について

□1　債務者の住所が, 住居表示では,

「大阪府　　　　　　　　　　　　　　　　　　　　　　　　　」となっていますが,

□大阪法務局 □　　　　　地方法務局 □　　　　　支局・出張所において,

前記所在地の不動産登記事項証明書の交付申請をするべく問い合わせたところ, 登記表示の住所では, 以下に該当するとの回答があり, 以下の所在地の不動産登記事項証明書の交付を受けました。

土地 「地番:大阪府　　　　　　　　　　　　　　　　　　　　　」

建物 「所在:大阪府　　　　　　　　　　　　　　　　　　　　　

家屋番号:　　　　　　　　　　　　　　　　　　　」

□2　別添のブルーマップ(　　　　　　住宅地図)の該当ページによると,

住居表示の住所が赤色でマーキングした部分であり,

登記表示の住所が青色でマーキングした部分になります。

□3　以下の方法で, 住居表示の「大阪府　　　　　　　　　　　　　　　」は,

登記表示の「大阪府　　　　　　　　　　　　　　　」に

該当することを確認しました。

〔13〕債務名義等還付申請書

債務名義等還付申請書

当事者　申立人＿＿＿＿＿＿＿＿＿＿＿＿＿＿＿＿＿

　　　　債務者＿＿＿＿＿＿＿＿＿＿＿＿＿＿＿＿＿

　上記当事者間の令和＿＿年(財チ)第＿＿＿＿＿号事件について，財産開示実施決定が確定したので，□債務名義，□送達証明書，□確定証明書を還付してください。

令和＿＿年＿＿月＿＿日

　　　申立人(代理人)＿＿＿＿＿＿＿＿＿＿＿＿＿＿＿＿＿＿　印

大阪地方裁判所第１４民事部　御中

受　書

　下記書類を受領しました。
　　　　□　執行力のある債務名義の正本　　　　＿＿＿通
　　　　□　同送達証明書　　　　　　　　　　　＿＿＿通
　　　　□　同確定証明書　　　　　　　　　　　＿＿＿通
　　　　□

令和＿＿年＿＿月＿＿日

　　　申立人(代理人)＿＿＿＿＿＿＿＿＿＿＿＿＿＿＿＿＿＿　印

大阪地方裁判所第１４民事部　御中

⑵　先取特権に基づく申立て関係

〔14〕財産開示手続申立書（一般の先取特権）の表書き

財 産 開 示 手 続 申 立 書

大阪地方裁判所第１４民事部　御中

　　　　　令和○○年○○月○○日

　　　　　　　申立人　　○○株式会社
　　　　　　　　　　代表者代表取締役　○　○　○　○　印
　　　　　　　　　　電　話　０６－○○○○－○○○○
　　　　　　　　　　ＦＡＸ　０６－○○○○－○○○○
　　　　　　　　　　　　　　　　（担当　○○）

　　　　　　　当 事 者　　　　　　　　　　別紙目録記載のとおり
　　　　　　　担保権・被担保債権・請求債権　別紙目録記載のとおり

　申立人は，債務者に対し，別紙担保権・被担保債権・請求債権目録記載の一般の
先取特権によって担保された同目録記載の請求債権を有しているが，債務者がその
支払をせず，下記の要件に該当するので，債務者について，財産開示手続の実施を
求める。

記

1　民事執行法１９７条２項の要件
　　　□　強制執行又は担保権の実行における配当等の手続（本件申立ての日より
　　　　６月以上前に終了したものを除く。）において，上記被担保債権の完全な
　　　　弁済を得ることができなかった（１号）。
　　　□　知れている財産に対する担保権の実行を実施しても，上記被担保債権の
　　　　完全な弁済を得られない（２号）。

2　民事執行法１９７条３項の要件
　　債務者が，本件申立ての日前３年以内に財産開示期日においてその財産につい
　て陳述したことを
　　　□　知らない。
　　　□　知っている。
　　（「知っている。」にチェックした場合は，次のいずれかにチェックする。）
　　　　　□　債務者が当該財産開示期日において，一部の財産を開示しなかった
　　　　　　（１号）。
　　　　　□　債務者が当該財産開示期日の後に新たに財産を取得した（２号）。
　　　　　　（取得した財産　　　　　　　　　　　　　　　　　　　　）
　　　　　□　当該財産開示期日の後に債務者と使用者との雇用関係が終了した
　　　　　　（３号）。

（添付書類）
- □　給与明細書　　　　　　　　　　　通
- □　賃金台帳写し　　　　　　　　　　通
- □　従業員台帳写し　　　　　　　　　通
- □　源泉徴収票　　　　　　　　　　　通
- □　給料未払金債務確認書　　　　　　通
- □　印鑑証明書　　　　　　　　　　　通
- □　資格証明書　　　　　　　　　　　通
- □　住民票　　　　　　　　　　　　　通
- □　その他

（証拠書類）

1　民事執行法１９７条２項１号関係
- □　配当表写し　　　　　　　　　　　通
- □　弁済金交付計算書写し　　　　　　通
- □　その他

2　民事執行法１９７条２項２号関係
- □　財産調査結果報告書　　　　　　　部
- □　その他

3　民事執行法１９７条３項関係
- □　財産開示期日調書写し　　　　　　通
- □　財産調査結果報告書　　　　　　　部
- □　退職証明書・聴取書　　　　　　　通
- □　その他

〔15〕当事者目録

当 事 者 目 録

〒　　　－ ....

（住　　所）　..

　　　　　　　..

　申　立　人　..

　　　　　　　..

　　　　　　　電話番号　..............（　　　　　　）..............

　　　　　　　Ｆ　Ａ　Ｘ　..............（　　　　　　）..............

（送達場所）□上記記載の住所

　　　　　　□〒　　　－ ....

　　　　　　　..

　　　　　　　..

〒　　　－ ....

（住　　所）　..

　　　　　　　..

　債　務　者　..

　　　　　　　..

〔16〕担保権・被担保債権・請求債権目録

担保権・被担保債権・請求債権目録

1　担保権
　　　申立人と債務者との間の雇用契約に基づく，毎月１５日締め切り，２５日払いの約定による給料の一般先取特権

2　被担保債権及び請求債権
　　金○○○○円
　　　ただし，債権者と債務者との間の雇用契約に基づき，債権者が債務者に対して有する令和○○年○月分から○月分までの下記（１）及び（２）の給料債権の合計金○○○○円の残金

　　　　　（１）基本給合計　　　金○○○○円
　　　　　（２）諸手当合計　　　金○○○○円
　　　　　　　　　内訳
　　　　　　　　　　通勤手当　　○○○円
　　　　　　　　　　残業手当　　○○○円
　　　　　　　　　　扶養手当　　○○○円

---

〔17〕〔18〕財産調査結果報告書　⇒書式〔11〕〔12〕に同じ

2 預貯金債権等に係る情報取得申立て関係
(1) 預貯金債権に係る情報取得申立て関係
〔19〕 預貯金債権の情報取得手続申立書の表書き

第三者からの情報取得手続申立書（預貯金）

大阪地方裁判所第14民事部　御中

　　　令和　　年　　月　　日

　　　　申立人　＿＿＿＿＿＿＿＿＿＿＿＿＿＿＿＿　㊞

　　　　　　　　　電　話　　　－　　　　－
　　　　　　　　　ＦＡＸ　　　－　　　　－
　　　　　　　　　　　　（担当　　　　）

　　　　　　　当事者　　　　別紙当事者目録記載のとおり
　　　　　　　請求債権　　　別紙請求債権目録記載のとおり

　申立人は，債務者に対し，別紙請求債権目録記載の執行力のある債務名義の正本に記載された請求債権を有しているが，債務者がその支払をせず，下記の要件に該当するので，第三者に対し債務者の預貯金債権に係る情報（民事執行法207条1項1号）の提供を命じるよう求める。

記

　以下のとおり，民事執行法197条1項の要件がある。（該当する□に✔を記入してください。）

　　□　強制執行又は担保権の実行における配当等の手続（本件申立ての日より6月以上前に終了したものを除く。）において，金銭債権の完全な弁済を得ることができなかった（1号）。

　　□　知れている財産に対する強制執行を実施しても，金銭債権の完全な弁済を得られない（2号）。

（添付書類）（該当する□に✔を記入してください。）
　　□　執行力のある債務名義の正本　　　　　通
　　□　同送達証明書　　　　　　　　　　　　通
　　□　同確定証明書　　　　　　　　　　　　通
　　□　資格証明書　　　　　　　　　　　　　通
　　□　住民票　　　　　　　　　　　　　　　通
　　□　　　　　　　　　　　　　　　　　　　通
　　□　　　　　　　　　　　　　　　　　　　通
（証拠書類）（該当する□に✔を記入してください。）
　1　民事執行法１９７条１項１号の主張をする場合
　　□　配当表写し
　　□　弁済金交付計算書写し
　　□　不動産競売開始決定写し
　　□　債権差押命令写し
　　□　配当期日呼出状写し
　　□
　　□
　2　民事執行法１９７条１項２号の主張をする場合
　　□　財産調査結果報告書及び添付資料
　　□
　　□

〔20〕当事者目録（第三者単数用）

当 事 者 目 録

〒...........−...........
（住　　所）　　..
申　立　人　　..
　　　　　　　　..

　　　　　　　電話番号　　（　　　　　　）
　　　　　　　Ｆ Ａ Ｘ　　（　　　　　　）

（送達場所）□上記記載の住所
　　　　　　□〒...........−...........
　　　　　　　..

〒...........−...........
（住　　所）　　..
第　三　者　　..
　　　　　　代表者..

〒...........−...........
（住　　所）　　..
債　務　者　　..
　　　　　　　　..

《債務者の特定に資する事項》
　(1)　氏名又は名称の振り仮名　..
　(2)　生年月日　..
　(3)　性別　..
　(4)　..
　(5)　..

〔21〕 当事者目録（第三者複数用）

当 事 者 目 録

〒........... ―
（住　　所）　　　..
申　立　人　　　..
　　　　　　　　　..

　　　　　　電話番号　　..............（　　　　　）..............
　　　　　　Ｆ Ａ Ｘ　　..............（　　　　　）..............

（送達場所）□上記記載の住所
　　　　　　□〒........... ―
　　　　　　　　　..

　　第三者は別紙第三者目録記載のとおり

〒........... ―
（住　　所）　　　..
債　務　者　　　..
　　　　　　　　　..

《債務者の特定に資する事項》
　（1）　氏名又は名称の振り仮名　　..
　（2）　生年月日　　..
　（3）　性別　　..
　（4）　..................................　..
　（5）　..................................　..

〔22〕第三者目録

第　　三　　者　　目　　録

〒　　　　　－
（住所）
　　　第　　三　　者
　　　代表者

〒　　　　　－
（住所）
　　　第　　三　　者
　　　代表者

〒　　　　　－
（住所）
　　　第　　三　　者
　　　代表者

〒　　　　　－
（住所）
　　　第　　三　　者
　　　代表者

〒　　　　　－
（住所）
　　　第　　三　　者
　　　代表者

〔23〕～〔30〕請求債権目録　⇒書式〔3〕～〔10〕に同じ

〔31〕〔32〕財産調査結果報告書　⇒書式〔11〕〔12〕に同じ

〔33〕債務名義等還付申請書及び受書

債務名義等還付申請書

当事者　申立人＿＿＿＿＿＿＿＿＿＿＿＿＿＿＿

　　　　債務者＿＿＿＿＿＿＿＿＿＿＿＿＿＿＿

　　　　第三者＿＿＿＿＿＿＿＿＿＿＿＿＿＿＿

　上記当事者間の令和＿＿年(情チ)第＿＿＿＿号事件について，情報提供命令が□発令された・□確定したので，□債務名義，□送達証明書，□確定証明書を還付してください。

令和＿＿年＿＿月＿＿日

　　　申立人(代理人)＿＿＿＿＿＿＿＿＿＿＿＿＿＿　印

大阪地方裁判所第１４民事部　御中

受　　書

　下記書類を受領しました。

　　　　□　執行力のある債務名義の正本　　　＿＿通
　　　　□　同送達証明書　　　　　　　　　　＿＿通
　　　　□　同確定証明書　　　　　　　　　　＿＿通
　　　　□

令和＿＿年＿＿月＿＿日

　　　申立人(代理人)＿＿＿＿＿＿＿＿＿＿＿＿＿＿　印

大阪地方裁判所第１４民事部　御中

⑵　振替社債等に係る情報取得申立て

〔34〕振替社債等の情報取得手続申立書の表書き

第三者からの情報取得手続申立書（振替社債等）

大阪地方裁判所第14民事部　御　中

　　令和　　年　　月　　日

　　　申立人　　..　㊞

　　　　　　　　　　電　話　　　　－　　　　　－
　　　　　　　　　　ＦＡＸ　　　　－　　　　　－
　　　　　　　　　　　　　　（担当　　　　）

　　　　　　　当事者　　　　別紙当事者目録記載のとおり
　　　　　　　請求債権　　　別紙請求債権目録記載のとおり

　申立人は，債務者に対し，別紙請求債権目録記載の執行力のある債務名義の正本に記載された請求債権を有しているが，債務者がその支払をせず，下記の要件に該当するので，第三者に対し債務者の有する振替社債等に係る情報（民事執行法207条1項2号）の提供を命じるよう求める。
　　　　　　　　　　　　　記
　以下のとおり，民事執行法197条1項の要件がある。（該当する□に✔を記入してください。）
　　□　強制執行又は担保権の実行における配当等の手続（本件申立ての日より6月以上前に終了したものを除く。）において，金銭債権の完全な弁済を得ることができなかった（1号）。
　　□　知れている財産に対する強制執行を実施しても，金銭債権の完全な弁済を得られない（2号）。

（添付書類）（該当する□に✔を記入してください。）
　　□　執行力のある債務名義の正本　　　　通
　　□　同送達証明書　　　　　　　　　　　通
　　□　同確定証明書　　　　　　　　　　　通
　　□　資格証明書　　　　　　　　　　　　通
　　□　住民票　　　　　　　　　　　　　　通
　　□　　　　　　　　　　　　　　　　　　通
　　□　　　　　　　　　　　　　　　　　　通
（証拠書類）（該当する□に✔を記入してください。）
　1　民事執行法197条1項1号の主張をする場合
　　□　配当表写し
　　□　弁済金交付計算書写し
　　□　不動産競売開始決定写し
　　□　債権差押命令写し
　　□　配当期日呼出状写し
　　□
　　□
　2　民事執行法197条1項2号の主張をする場合
　　□　財産調査結果報告書及び添付資料
　　□
　　□

〔35〕当事者目録（第三者単数用）　⇒書式〔20〕に同じ

〔36〕当事者目録（第三者複数用）　⇒書式〔21〕に同じ

〔37〕第三者目録　⇒書式〔22〕に同じ

〔38〕～〔45〕請求債権目録　⇒書式〔3〕～〔10〕に同じ

〔46〕〔47〕財産調査結果報告書　⇒書式〔11〕〔12〕に同じ

〔48〕債務名義等還付申請書及び受書　⇒書式〔33〕に同じ

3　不動産に係る情報取得の申立て関係

〔49〕第三者からの情報取得手続申立書（債務名義・不動産）

第三者からの情報取得手続申立書（不動産）

東京地方裁判所民事第21部御中

令和　　年　　月　　日

申立人

　　　　　　　　　　　　　　　　　　　　　　　　印
　　　　　電　話　　－　　　－
　　　　　ＦＡＸ　　－　　　－
　　　　　　　　　　（担当　　　　　）

　　　当事者　　　　　別紙当事者目録記載のとおり
　　　請求債権　　　　別紙請求債権目録記載のとおり

　申立人は、債務者に対し、別紙請求債権目録記載の執行力のある債務名義の正本に記載された請求債権を有しているが、債務者がその支払をせず、下記の要件に該当するので、第三者に対し債務者の不動産に係る情報（民事執行法205条1項）の提供を命じるよう求める。
　ただし、○○○○に所在する土地等に限る。

記

1　民事執行法197条1項の要件（該当する□に✓を記入してください。）
　　□　強制執行又は担保権の実行における配当等の手続（本件申立ての日より6月以上前に終了したものを除く。）において、金銭債権の完全な弁済を得ることができなかった（1号）。
　　□　知れている財産に対する強制執行を実施しても、金銭債権の完全な弁済を得られない（2号）。
2　民事執行法205条2項の要件
　(1)　財産開示事件の事件番号
　　　　○○地方裁判所　　平成・令和　　年（財チ）第　　　　号
　(2)　財産開示期日　平成・令和　　年　　月　　日

（添付書類）（該当する□に✓を記入してください。）
　　□　執行力のある債務名義の正本　　　　　通
　　□　同送達証明書　　　　　　　　　　　　通
　　□　同確定証明書　　　　　　　　　　　　通
　　□　資格証明書　　　　　　　　　　　　　通
　　□　住民票　　　　　　　　　　　　　　　通
　　□　　　　　　　　　　　　　　　　　　　通
　　□　　　　　　　　　　　　　　　　　　　通

（証拠書類）（該当する□に✓を記入してください。）
1　民事執行法197条1項1号の主張をする場合
（同号の証明資料）
　　□　配当表写し
　　□　弁済金交付計算書写し
　　□　不動産競売開始決定写し
　　□　債権差押命令写し
　　□　配当期日呼出状写し
　　□
　　□
（民事執行法205条2項の証明資料）
　　□　財産開示期日が実施されたことの証明書
　　□　財産開示期日調書写し
　　□　財産開示手続実施決定写し
　　□
　　□
2　民事執行法197条1項2号の主張をする場合
（同号の疎明資料）
　　□　財産調査結果報告書及び添付資料
　　□
　　□
（民事執行法205条2項の証明資料）
　　□　財産調査結果報告書添付資料のとおり
　　□　財産開示期日が実施されたことの証明書
　　□　財産開示期日調書写し
　　□　財産開示手続実施決定写し
　　□
　　□

〔50〕当事者目録（第三者単数用）　⇒書式〔20〕に同じ

〔51〕～〔58〕請求債権目録　⇒書式〔3〕～〔10〕に同じ

〔59〕〔60〕財産調査結果報告書　⇒書式〔11〕〔12〕に同じ

〔61〕財産開示期日が実施されたことの証明申請書

（正本用）

> 収入印紙××円
> （1期日につき
> 150円）

財産開示期日が実施されたことの証明申請書

【※財産開示期日（ただし，複数回期日が開かれた場合は，最後の期日）が証明日から3年以内に実施されたものに限る。】

................地方裁判所　御中

　　　令和......年......月......日

　　　　　申請者　　（住所）..

　　　　　　　　　　　　　　　..

　　　　　　　　　（氏名）...　印

債　務　者　　（現住所）..

　　　　　　　（債務名義上の住所）□ 現住所と同じ
　　　　　　　　　　　　　　　　　□
　　　　　　　　　　　　　　　　　..

　　　　　　　（氏名）..

（財産開示事件　事件番号　御庁　平成・令和......年（財チ）第..........号）

　上記財産開示事件の財産開示期日における手続が，下記のとおり実施されたことを証明してください。

記

1　平成・令和...年...月...日実施　（開示義務者　出頭・不出頭）

2　平成・令和...年...月...日実施　（開示義務者　出頭・不出頭）

〔いずれかに○を付す〕

（添付書類）
1　執行力のある金銭債権の債務名義正本及びそのコピー
2　資格証明書（申請人及び債務者が法人である場合は必須。債務名義上の記載と名称や所在地が異なる場合には，そのつながりがわかる商業登記簿謄本等）
3　住民票（債務名義上の記載と当事者の住所が異なる場合）
4　戸籍謄本（債務名義上の記載と当事者の氏名が異なる場合）
5　訴訟委任状（弁護士に委任する場合）

受　　書

　同日，上記証明書......通の交付を受けました。

　　　　　申請者（氏名）...　印

（副本用）

財産開示期日が実施されたことの証明申請書

【※財産開示期日（ただし，複数回期日が開かれた場合は，最後の期日）が証明日から３年以内に実施されたものに限る。】

.... 地方裁判所　御中

　　　　令和 ...... 年 ...... 月 ...... 日

　　　　　　　　申請者　　（住所）..

　　　　　　　　　　　　　　　　　..

　　　　　　　　　　　　（氏名）... 印

債　務　者　（現住所）..

　　　　　　　（債務名義上の住所）□ 現住所と同じ
　　　　　　　　　　　　　　　　　□ ....

　　　　　　　　　　　　　　　　　..

　　　　　　　　（氏名）..

（財産開示事件　事件番号　御庁　平成・令和 ...... 年（財チ）第 .... 号）

　上記財産開示事件の財産開示期日における手続が，下記のとおり実施されたことを証明してください。

記

1　平成・令和 .... 年 .... 月 .... 日実施　（開示義務者　出頭・不出頭）

2　平成・令和 .... 年 .... 月 .... 日実施　（開示義務者　出頭・不出頭）

〔いずれかに○を付す〕

〔62〕債務名義等還付申請書及び受書　⇒書式〔33〕に同じ

4　給与債権に係る情報取得申立て関係

〔63〕給与債権の情報取得手続申立書の表書き

第三者からの情報取得手続申立書（給与）

大阪地方裁判所第14民事部　御中

　　令和　　年　　月　　日

　　　　申立人　　　　‥‥‥‥‥‥‥‥‥‥‥‥‥‥‥‥‥‥‥‥‥‥‥　　㊞

　　　　　　　　　　電　話　　　－　　　　－
　　　　　　　　　　ＦＡＸ　　　－　　　　－
　　　　　　　　　　　　　　　（担当　　　　）

　　　　　当事者　　　　別紙当事者目録記載のとおり
　　　　　請求債権　　　別紙請求債権目録記載のとおり

　申立人は，債務者に対し，別紙請求債権目録記載の執行力のある債務名義の正本に記載された請求債権を有しているが，債務者がその支払をせず，下記の要件に該当するので，第三者に対し債務者の給与債権に係る情報（民事執行法２０６条１項）の提供を命じるよう求める。

記

1　民事執行法１９７条１項の要件（該当する□に✔を記入してください。）
　□　強制執行又は担保権の実行における配当等の手続（本件申立ての日より６月以上前に終了したものを除く。）において，金銭債権の完全な弁済を得ることができなかった（１号）。
　□　知れている財産に対する強制執行を実施しても，金銭債権の完全な弁済を得られない（２号）。
2　民事執行法２０５条２項の要件
　(1)　財産開示事件の事件番号
　　　　　　地方裁判所　　　平成・令和　　年（財チ）第　　　　号
　(2)　財産開示期日　　平成・令和　　年　　月　　日
3　民事執行法２０６条１項の要件（該当する□に✔を記入してください。）
　　債権者は，次の請求権について執行力ある債務名義の正本を有する。
　□　民事執行法１５１条の２第１項各号に掲げる義務に係る請求権
　□　人の生命又は身体の侵害による損害賠償請求権

（添付書類）（該当する□に✔を記入してください。）
　□　執行力のある債務名義の正本　　　　　通
　□　同送達証明書　　　　　　　　　　　　通
　□　同確定証明書　　　　　　　　　　　　通
　□　資格証明書　　　　　　　　　　　　　通

　□　住民票　　　　　　　　　　　　通
　□　　　　　　　　　　　　　　　　通
（証拠書類）（該当する□に✔を記入してください。）
　1　民事執行法１９７条１項１号の主張をする場合
　（同号の証明資料）
　　□　配当表写し
　　□　弁済金交付計算書写し
　　□　不動産競売開始決定写し
　　□　債権差押命令写し
　　□　配当期日呼出状写し
　　□
　（民事執行法２０５条２項の証明資料）
　　□　財産開示期日が実施されたことの証明書
　　□　財産開示期日調書写し
　　□　財産開示手続実施決定写し
　　□
　2　民事執行法１９７条１項２号の主張をする場合
　（同号の疎明資料）
　　□　財産調査結果報告書及び添付資料
　　□
　（民事執行法２０５条２項の証明資料）
　　□　財産調査結果報告書添付資料のとおり
　　□　財産開示期日が実施されたことの証明書
　　□　財産開示期日調書写し
　　□　財産開示手続実施決定写し
　　□

〔64〕当事者目録（第三者単数用）　⇒書式〔20〕に同じ

〔65〕当事者目録（第三者複数用）　⇒書式〔21〕に同じ

〔66〕第三者目録　⇒書式〔22〕に同じ

〔67〕～〔70〕請求債権目録　⇒書式〔6〕〔7〕,〔9〕〔10〕に同じ

〔71〕請求債権目録（人の生命～）（判決正本等の場合）

請　求　債　権　目　録

........................裁判所　　　　平成・令和........年（　）第........................号
事件の執行力のある判決正本に表示された，人の生命又は身体の侵害に
よる損害賠償請求権である下記債権

記

1　元　　金　　　　金..円

　　ただし，主文第........項の金員（□内金　□残金）

2　損　害　金

　　上記1に対する　平成・令和........年........月........日から支払済みまで，年........パー
　セントの割合による損害金

（該当する□を☑又は■にする。）

〔72〕請求債権目録（人の生命～）（和解調書正本等の場合）

請 求 債 権 目 録

........................裁判所 　　平 成・令 和.........年（　）第.....................号
事件の執行力のある和解調書正本に表示された，人の生命又は身体の侵
害による損害賠償請求権である下記債権

記

1　元　　金　　　　金...円
　　ただし，和解条項　第.......項の金員（□内金　□残金）

2　損 害 金
　　上記 1 に対する　平成・令和.......年.......月.......日から支払済みまで，年.......パー
　セントの割合による損害金

（該当する□を☑又は■にする。）

〔73〕請求債権目録（人の生命〜）（仮執行宣言付支払督促正本の場合）

請　求　債　権　目　録

　　　　　　　簡易裁判所　平成・令和　　年（ロ）第　　　　号　事件の
仮執行宣言付支払督促正本に表示された，人の生命又は身体の侵害による損害賠償請求権である下記債権

記

1　元　　金　　　　金　　　　　　　　　　　　　　　　　円

2　損 害 金
　　上記1に対する　平成・令和　　年　　月　　日から支払済みまで，年　　パーセントの割合による損害金

（該当する□を☑又は■にする。）

〔74〕請求債権目録（人の生命〜）（その他債務名義）

請 求 債 権 目 録

....年.......第.............号...事件の
下記債務名義（■のもの）に表示された，人の生命又は身体の侵害による
損害賠償請求権である下記債権

記

■..正 本

1　元　　金　　　金...円
　　ただし，...................項の金員（□内金　□残金）

2　損 害 金
　　上記 1 に対する 平成・令和.......年.......月.......日から支払済みまで，年.......パー
セントの割合による損害金

---

〔75〕財産調査結果報告書（個人用）　⇒書式〔11〕に同じ
〔76〕財産開示期日が実施されたことの証明申請書
　　　　⇒書式〔61〕に同じ
〔77〕債務名義等還付申請書及び受書　⇒書式〔33〕に同じ

5　差押禁止債権の範囲変更の申立て関係

〔78〕差押禁止債権の範囲変更（差押命令取消し）申立書

差押禁止債権の範囲変更（差押命令取消し）申立書

大阪地方裁判所第１４民事部　御中
　　　　令和　　年　　月　　日
　　　　　　　住所
　　　　　　　申立人（債務者）　　　　　　　　　　　　　印
　　　　　　　電話番号
　　債　権　者
　　債　務　者
　　第三債務者

　　　　　　　　　　申立ての趣旨
　上記当事者間の御庁令和　　年（ル）第　　　　号債権差押命令申立事件につき
なした差押命令を取消す。
　との裁判を求めます。
　　□　支払の一時禁止命令の発令を求めます。
　　　　　　　　　　申立の理由
　□　生活困窮【詳細は□別紙のとおり
　　　　　　　　　□令和　　年　　月　　日までに提出】
　□　差し押さえられた預貯金口座の原資が次のとおり，差押禁止債権であ
　　る【詳細は□別紙のとおり
　　　　　　　　□令和　　年　　月　　日までに提出】。
　　□年金（月額　　　　　　　　円）
　　□生活保護費（月額　　　　　　円）
　　□
　□その他【詳細は□別紙のとおり
　　　　　　　□令和　　年　　月　　日までに提出】
　　　　　　　　　（ただし，該当する□にチェック）
　　　　　　　　　　添付書類
　　　　　　　　　1
　　　　　　　　　2
　　　　　　　　　3

〔79〕差押禁止債権の範囲変更申立書

差押禁止債権の範囲変更申立書

大阪地方裁判所第14民事部　御中

令和　　年　　月　　日

　　　　　　　　　住所

　　　　　　　　　申立人（債務者）　　　　　　　　　　　　印

　　　　　　　　　電話番号

　　債　権　者

　　債　務　者

　　第三債務者

申立ての趣旨

　上記当事者間の御庁令和　　年（ル）第　　号債権差押命令申立事件につき，令和　　年　　月　　日付け差押命令により差し押さえられたところ，**別紙**差押債権目録記載　　　につき，「　　分の1」とあるのを「　　分の1」と変更する。との裁判を求める。

□　支払の一時禁止命令の発令を求めます。

申立ての理由

　申立人は別添の明細書のとおり毎月平均　　万　　円の収入を得ているが，この収入で家族　名が生活をしており，毎月の必要経費は約　　万　　円である。したがって，これ以上家計を切りつめる余裕はなく，この中から毎月給料の　　分の1を差し押さえられると，申立人の家族はきわめて困窮することとなる。

　詳細は【□別紙のとおりである

　　　　　　□令和　　年　　月　　日までに提出する】

　よって，差押禁止債権の範囲変更を求めるため本申立てに及んだものである。

　　　　　　　　　　　（ただし，該当する□にチェックを振る。）

以上

添付書類

1

2

3

巻末書式集

〔80〕家計収支表

家計収支表　　　　　　　　　　　　（単位：円）

	申立前2か月分→	年　　　月分	年　　　月分
収入	前月からの繰越		
	給　与（申立人分）		
	給　与（配偶者分）		
	給　与（　　　　分）		
	自営収入（申立人分）		
	自営収入（配偶者分）		
	年　金（申立人分）		
	年　金（　　　　分）		
	雇用保険（　　　　分）		
	生活保護（　　　　分）		
	児童（扶養）手当		
	援　助（　　　　から）		
	借入れ（　　　　）		
	その他（　　　　）		
	その他（　　　　）		
	合　　　計		
支出	住居費（家賃・地代）		
	駐車場代（車名義　　　）		
	食　費		
	嗜好品代		
	外食費		
	電気代		
	ガス代		
	水道代		
	電話料金（携帯電話代含む）		
	日用品代		
	新聞代		
	国民健康保険料（国民年金）		
	保険料（任意加入）		
	ガソリン代（車名義　　　）		
	交通費		
	医療費		
	被服費		
	教育費（　　　）		
	交際費（　　　）		
	娯楽費（　　　）		
	債務返済実額（申立人分）		
	債務返済実額（同居人分）		
	その他（　　　）		
	その他（　　　）		
	翌月への繰越		
	合　　　計		

※収入・支出を裏付けるもの（給与明細，領収書等）の写しを2部添付して下さい。

230

〔81〕教示書面（差押債権の範囲変更の申立てをされる方へ）

差押債権の範囲変更の申立てをされる方へ

1　差押禁止債権の範囲変更申立書〔記載例〕を参考にして，**申立書を2部**作成して提出してください（2部とも押印してください）。
　　申立書に記載する債権者，債務者，第三債務者は，債権差押命令正本の当事者目録に記載されているとおり記載してください。
　　また，記載例にある「申立ての理由」は，ひとつの記載例ですから，申立人の実情にあった「申立ての理由」を記載してください。
2　申立手数料はかかりませんが，**郵便切手4240円分**が必要です（当事者が1名増える毎に各切手を2枚ずつ追加してください）。
　（内訳500円×6枚，84円×10枚，20円×10枚，10円×10枚，5円×10枚，2円×20枚，1円×10枚）
3　申立てがあると，裁判所は債権者の意見を聴く手続（書面による審尋）に入ります（債権者の意見を聴く前に，貴方に申立ての理由の補充，意見等を求めることもあります。）。その手続に2週間ほどかかりますので，申立書を提出して直ちに決定が出るわけではありません。また，申立てどおりの決定が出るとは限りません。債権者の意見を聴いたうえで，裁判所はこの申立てに対する判断を行います。結果については，書面をお送りします。また，決定をするに際し，あらためて貴方から事情を伺うこともあります。
4　申立てに際しては以下の書類を提出してください。
　①　債務者の収入に関する資料として，課税証明書
　②　家計収支表（直近2ヶ月分。生計を一つにする世帯全体のもの）
　③　家計収支表に記載する支出の裏付け資料（例えば，家賃や光熱費の領収証や口座引落しの場合の通帳の写し）
　④　その他，自己の主張を裏付けると考える資料
　これらの書類は正本と写し（合計2部）を提出してください。

債務者宛　案内書類

はじめにお読みください。

　この度，あなたに対し，**債権差押命令**が発せられました。

　これは，あなたの不払いを理由として，あなたの第三者に対する金銭支払請求権（例えば，預金や給与など）を差し押さえるよう債権者が裁判所に申立てを行ったことに基づくものです。

　この差押命令を発するにあたり，債権者は，①あなたに支払義務があることを定めた**判決正本や公正証書等といった公文書**（債務名義の正本），②この判決正本や公正証書等の公文書を，法律上，あなたが受け取っている旨の証明書（送達証明書）を裁判所に**提出しています。**
　裁判所は，これらの提出書類を受けて，申立書上，差押命令を発することができない事情が認められなかったことから，差押命令を発しました。

　あなたがこの差押命令正本を法律上受け取った日から一定期間が経過すると債権者は第三債務者に対し取立て（交渉）する権限が発生し，直接回収することも可能となりますので，あなたが法律相談等で助言を得る場合には，差押命令正本をいつ受け取ったのかや債権差押命令の請求債権目録に表示された債務名義の正本記載の債権の内容，差押債権目録記載の債権の内容も伝えてください。

　なお，**裁判所は公正かつ中立な立場であるため，あなたにとって有利となるような相談に応じたり，助言を行うことはできません。**
　あなたにとって有利となる相談や法律的な助言を得たいときはお近くの弁護士会や法テラス等の法律の専門家をお訪ねください。

1

　差押えの手続について，よくある質問とその回答を以降に掲載していますので手続の参考にしてください。なお，本書Ｑ12からＱ18は，民事執行法145条4項の教示書面を兼ねています。

（差押手続，債権差押命令の記載内容について）

　Ｑ1　裁判所から，いきなり差押命令正本が届きました。事前の連絡や予告もなく驚いています。どうして前もって連絡してくれなかったのですか。

　　　　　　　Ａ　**財産の差押手続は**その性質上，差押えを受ける債務者に対し，**事前の連絡や予告，照会は一切ありません**し，また，**法律上，**これらを**しないで発令する**ものとされています。

　Ｑ2　差押えを申し立てた債権者は誰ですか。どこを見れば分かりますか。

　　　　　　　Ａ　債権差押命令の**当事者目録**と書かれている頁の「債権者」という肩書が付されている個人や会社等がこの差押えを申し立てた債権者です。

　Ｑ3　私の勤め先や取引銀行が第三債務者として当事者目録に書かれているのですが，私は自身の債務を勤め先や取引銀行に保証してもらったり，立て替えてもらった覚えがないのですが。

　　　　　　　Ａ　ここにある**第三債務者**とは，**あなたに対し，金銭を支払う立場にある人**のことです。あなたに給与を支払う立場にある勤め先やあなたに預貯金を払い戻す立場にある銀行等がこれにあたります。

　　　　　　　したがって，あなたの債務をあなたの勤め先や取引銀行が**保証したり立て替えたわけではありません。**

　Ｑ4　差押命令の当事者目録をみると，退職した会社や全く取引のない銀行が書かれていますがどうしてですか。

2

A　第三債務者を誰と定めるかは**債権者の申立てに従います。**

債権者がどのような情報に基づいて第三債務者を選んだのかについて**裁判所には分かりません。**資料がない場合など推測や推量に基づくこともあるように聞きます。そのため，債務者が退職した会社や債務者と全く取引のない銀行が第三債務者とされることも少なからずあります。

Q5　差押えの根拠となっている判決正本等の公文書は何ですか。どこを見れば分かりますか。

A　債権差押命令の請求債権目録と書かれている頁にどこの裁判所（または公証役場）のどの事件番号のどういった種類の公文書なのかが書かれていますので確認してください。

判決正本等の公文書の内容を確認したい場合には，**請求債権目録**に記載されている裁判所または公証役場あるいは当裁判所で保管されていますので，所定の手続を経ることで閲覧することが可能です。

Q6　差押命令の請求債権目録に書かれている裁判所や判決等の公文書に全く身に覚えがないのですが。

A　もし，この判決正本等の公文書に**全く身に覚えがないという場合は早急に弁護士などの法律の専門家の方に相談してください。**

なお，判決正本等の公文書の内容を確認したい場合には，**請求債権目録**に記載されている裁判所または公証役場あるいは当裁判所で保管されていますので，所定の手続を経ることで閲覧することが可能です。

3

Q7 差押命令の請求債権目録に，執行費用という項目がありますが，これは何ですか。

　　　　　A 執行費用とは，債権者がこの差押手続を行うにあたって支出した費用等を計上したものです。法律上，執行費用については，その執行手続において同時に請求することが認められています。

Q8 差押債権目録に複数の銀行が書かれています。そして，その左側に金額が書かれているのですが，これは何の金額ですか。

　　　　　A これは各銀行に対する差押額の上限です。この上限額は，その合計が請求債権目録記載の金額の範囲内であれば債権者が自由に割り付けられるものです。

Q9 預金を差し押さえられました。キャッシュカードが使えません。以後の入金も差押えが及ぶのでしょうか。

　　　　　A 預貯金債権の差押えの場合，**金融機関に差押命令が届いた時点の預貯金残高にのみ**差押えの効力は及びます。命令が届いた後に入金された預金や入金予定のお金には差押えの効力は及びません。

　　　　　キャッシュカードやATMの利用の可否については，金融機関の窓口等でお尋ねください。

Q10 給料の差押えを受け，既に給料の4分の1の差押えを受けているのですが，今回別の消費者金融からの差押えが届きました。差し押えられるのは2倍の4分の2になるのでしょうか。

　　　　　A 差押えが何件になっても差し押えることができるのは給与の**4分の1のみ**です。

4

235

ただし、**養育費などの扶養債権**に基づく差押えの場合、１件であっても給与の**２分の１**まで差し押さえることができます。

（今後の手続及び差押禁止債権の範囲変更の手続について）

Q11 支払を滞っていたため差押えを受けたことは分かりましたが、私はこれから何かをしなければならないのですか。

　　　　A　差押えに基づく取立ては債権者と第三債務者の間で行われます。**債権者が取立てを行うに際し、特にあなたが関与することはありません。**

　　　　なお、もしあなたが転居するような場合には裁判所に住所等を届け出る必要があります。住所等を届け出る書面は当係に連絡するなどして入手することができます。

Q12　債権者は、いつから第三債務者に取立てをすることができるのですか。

　　　　A　まず、債権差押命令の差押債権目録に記載された債権（差し押さえられた債権）の内容をご覧いただき、下記のいずれに当たるかご確認ください。なお、あなたの差し押さえられた債権が下記のいずれに該当するか分からない場合は、法律の専門家にご相談ください。

　　　　a　差し押さえられた金銭債権が、①国及び地方公共団体以外の者から生計を維持するために支給を受ける継続的給付に関する債権、②給料、賃金、俸給、退職年金及び賞与並びにこれらの性質を有する給与に関する債権、又は、③退職手当及びその性質を有する給与に関する債権である場合は　あなたが債権差押命令を受け取ってから**４週間経過後**です。

5

　　　b　差し押さえられた金銭債権が，上記 a 以外の債権である場合
は，あなたが債権差押命令を受け取ってから**1週間経過後**です。

Q13 債権者に今後の返済のことで連絡を取りたいのですが，このように裁判所
から差押命令が届いた段階で私から債権者に直接連絡を取っていいのでしょうか。

　　　A　差押命令に書かれている**債権者に連絡する場合，裁判所に許可を得
たり事前に連絡する必要はありません。**

　　　今後の債務の返済や差押えの取下げなどの話し合い等は裁判所の
手続外のものとなりますので，**返済条件などの交渉をしたいときは
債権者に直接連絡を取ってください。**

Q14 債権者に支払って差押えを取り消して欲しいと思っているのですが，この
ような場合，お金は裁判所に持っていけばよいのですか。

　　　A　債務を支払う場合は債権者に支払ってください。**裁判所では返済
金を受け取ることはできません。また仲介することもありません。**

　　　債務が支払われた場合，多くの債権者が差押手続を取り下げる旨
の書面（取下書）を裁判所に提出することで差押手続を解除（解放）
することになります。

　　　**どうすれば差押手続を取り下げてくれるのかは債権者にお尋ねく
ださい。**

Q15 差押えを受けると生活が苦しくなりますが，何か方法はないですか。

　　　A　債権差押命令を受けた方が採り得る手段としては，法的倒産手続
　　　　　や任意整理，請求債権が養育費等の扶養義務等に係る債権であれば，
　　　　　債権額の減額を求めて家事調停や家事審判の申立て，差押禁止債権
　　　　　の範囲変更の手続等が考えられます。あなたがどの手続を選択すべ

6

きかについては，執行裁判所（差押手続を行う裁判所）はお答えす
ることができませんので，法律の専門家に相談されることをお勧め
します。

Q16 差押禁止債権の範囲変更の手続とは，どのような制度ですか。この申立て
をすれば，私の債務はなくなるのでしょうか。

A 差押禁止債権の範囲変更の手続とは，差押えによって，一般的な
生活水準と比較してあなたの生活に著しい支障が生じる場合にあ
なたの申立てにより，差押命令の全部又は一部を取り消す（差押え
の範囲を減縮する）かどうかを執行裁判所が決定する手続です（民
事執行法153条1項。この決定後に事情の変更があったときは，
執行裁判所は，申立てにより，差押命令の全部又は一部を取り消す
かどうかを決定します（同条2項）。）。

この申立てがあった場合，執行裁判所は，あなたから資料の提出
や通信費用の予納を求め，相手方（債権者）の反論や提出資料も見
た上で決定をします。したがいまして，申立後にすぐ決定が出るわ
けではありませんし，あなたの希望に沿った決定が出るとも限りま
せん。また，申立てを全部又は一部認める決定が出たとしても，あ
なたの債務が減るわけではなく，差押えの効力を受けないだけにと
どまります。むしろ，完済までの期間が延びることによって，遅延
損害金の負担が増えることもありますので，ご注意ください。

申立てをすべきかどうかや手続の見通しについては，執行裁判所
はお答えすることはできませんので，法律の専門家にご相談くださ
い。

なお，本制度に関するQ＆Aや申立書の書式については，裁判所
の窓口にお越しいただければ，書類をお渡しすることができますの

7

で，ご活用ください。

Q17 差押禁止債権の範囲変更の申立ては，どの裁判所に申立てをすればいいですか。また，いつまでに申立てをすればいいですか。

A 大阪地方裁判所（債権差押命令をした裁判所）になります。

債権者は，あなたに差押命令が送達されてから一定期間（Q12参照）が経過すると，第三債務者から差押えに係る債権を取り立てることができますので，この取立ての前に申立てをする必要があります。また，第三債務者に対する支払の一時禁止を命じる決定を得る必要もあります。

Q18 差押禁止債権の範囲変更の申立てに費用はいくらかかりますか。また，申立てに当たり，必要な書類を教えてください。

A 申立手数料はかかりませんが，通信費用等として，**郵便切手合計4240円分（内訳500円×6枚，84円×10枚，20円×10枚，10円×10枚，5円×10枚，2円×20枚，1円×10枚。なお，当事者が1名増えるごとに各切手を2枚ずつ追加してください。）**を申立時に予納してください。

申立書2通（申立人（債務者），相手方（債権者）が各1名の場合），上記郵便切手，あなた（債務者）の世帯構成，世帯の収入・支出，資産・負債等，生活状況が分かる資料が必要になります（より詳しい情報を得たい場合には，Q16のQ＆Aや申立書書式をご活用ください。）。

（その他）

Q19 裁判所に連絡したいのですが，どこに電話をかければよいのですか。

8

　　　　A　差押命令を受け取られた方からのお電話は債権進行係宛てにお

　　　かけください。

　　　　債権進行係の直通ダイヤルは０６－６３５０－６９６２です。

　　　　その際，差押命令正本の１枚目の右上に書かれてある事件番号と

　　　お名前（フルネーム）をお伝えください。

　　　　なお，**差押えの手続は非公開の手続です。電話ではお伝えできな**

　　　い事項もありますのでご理解ください。

Ｑ20 弁護士に相談したいのですが，連絡先を教えてください。

　　　　A　法テラス大阪　0503383-5425

　　　法テラス堺　0503383-5430

　　　大阪弁護士会　06-6364-1248（相談等予約用）

　　　堺法律相談センター　072-223-2904

　　　をご案内します。

6　差押命令取消し制度関係

〔82〕支払を受けていない旨の届出

ファクシミリによる提出はできません。

令和　　年（ル・ナ）第　　　号

支払を受けていない旨の届出

東京地方裁判所民事第21部　御中

令和　　年　　月　　日

申立債権者　　　　　　　　　　　印

債　権　者

債　務　者

第三債務者

　　　上記事件の債権者又は債務者が複数いる場合，本届出に対応する当事者ごとに記載して，本書面を作成してください。
　　　第三債務者が複数の場合，いずれの第三債務者からも支払を受けていない場合に本書面を作成してください。

1　上記当事者間の債権差押命令に基づき，金銭債権を取り立てることができることとなった日（又は最後に一部取立届若しくは支払を受けていない旨の届出をした日）から，債権者は第三債務者から支払を受けていません。

2　第三債務者から支払を受けていない理由

　　　該当する部分の□にチェック，下線部に該当する第三債務者名を入れてください。

□　第三債務者＿＿＿＿＿＿＿＿＿＿につき，差押債権が，支払期限が到来していない。（支払期限　令和　　年　　月　　日）

□　第三債務者＿＿＿＿＿＿＿＿＿＿に対し，取立訴訟係属中である（訴訟提起予定である）。

□　その他→具体的な理由を以下の欄に記載してください。

※　民事執行法155条5項により，金銭債権を取り立てることができることとなった日（一部取立届又は支払を受けていない旨の届出をした場合にあっては，最後に当該届出をした日）から支払を受けることなく2年を経過したときは，支払を受けていない旨の届出をする必要があります。この届出をしない場合は，差押命令が取り消されることがあります（民事執行法155条6項）。

7　不動産競売における暴力団員の買受けの防止関係
〔83〕暴力団員等ではない旨の陳述書

※該当する□にチェックを入れてください。

<table>
<tr><td colspan="3" align="center">陳述書
（買受申出人（**個人**）本人用）
地方裁判所　　支部　執行官　殿</td></tr>
<tr><td>事件番号</td><td>□平成
□令和　　年（　　）第　　　号</td><td>物件番号</td></tr>
<tr><td rowspan="4">陳述</td><td colspan="2">私は，暴力団員等ではありません。
※「暴力団員等」とは，「暴力団員による不当な行為の防止等に関する法律（平成3年法律第77号）第2条第6号に規定する暴力団員又は暴力団員でなくなった日から5年を経過しない者」を指します。</td></tr>
<tr><td colspan="2">私は，暴力団員等又は暴力団員等が役員である法人の計算において買受けの申出をする者ではありません。</td></tr>
<tr><td colspan="2">（該当する者【※注意書8参照】がいる場合のみ□にチェックし，別紙を添付する。該当する者がいない場合には□にチェックしない。）</td></tr>
<tr><td colspan="2">□　自己の計算において私に買受けの申出をさせようとする者は，別紙「自己の計算において買受けの申出をさせようとする者に関する事項」記載のとおりです。この者は，暴力団員等又は暴力団員等が役員である法人ではありません。</td></tr>
<tr><td colspan="3" align="center">（陳述書作成日）令和　　年　　月　　日</td></tr>
<tr><td rowspan="5">買受申出人（個人）</td><td rowspan="5">本人</td><td>住　所　〒　－</td></tr>
<tr><td>（フリガナ）</td></tr>
<tr><td>氏　名　　　　　　　　　　　　　㊞</td></tr>
<tr><td>性　別　　□男性　　□女性</td></tr>
<tr><td>生年月日　□昭和
□平成　　年　　月　　日
□西暦</td></tr>
</table>

注　意

1　陳述書は，一括売却される物件を除き，物件ごとに別の用紙を用いてください（**鉛筆書き不可**）。
2　事件番号及び物件番号欄には，公告に記載された番号をそれぞれ記載してください。事件番号及び物件番号の記載が不十分な場合，入札が無効となる場合があります。
3　本用紙は，買受申出人が個人の場合のものです。法人の場合は，法人用の用紙を用いてください。また，買受申出人に法定代理人がある場合（未成年者の親権者など）は，買受申出人（個人）法定代理人用の用紙を用いてください。
4　共同入札の場合には，入札者ごとに陳述書及び添付書類を提出してください。
5　陳述書は，氏名，住所，生年月日及び性別を証明する文書（住民票等）を添付して，**必ず入札書とともに提出してください。提出がない場合，入札が無効**となります。
6　氏名，住所，生年月日及び性別は，それらを証明する文書のとおり，正確に記載してください。**記載に不備がある場合，入札が無効となる場合があります。**
7　買受申出人が**宅地建物取引業者**の場合には，その免許を受けていることを証明する文書の写しを提出してください。
※8　自己の計算において買受けの申出をさせようとする者（買受申出人に資金を渡すなどして買受けをさせようとする者をいいます。）がある場合は，別紙「自己の計算において買受けの申出をさせようとする者に関する事項」の添付が必要です。
9　**提出後の陳述書及び添付書類（別紙を含む）の訂正や追完はできません。**
10　虚偽の陳述をした場合には，6月以下の懲役又は50万円以下の罰金に処せられることがあります（民事執行法213条）。

※該当する□にチェックを入れてください。

陳述書
（買受申出人（**法人**）代表者用）

地方裁判所　　　　　支部　執行官　殿

事件番号	□平成 □令和　　　年（　　）第　　　号	物件番号	

陳述	当法人は，暴力団員等が役員である法人ではありません。 ※「暴力団員等」とは，「暴力団による不当な行為の防止等に関する法律（平成3年法律第77号）第2条第6号に規定する暴力団員又は暴力団員でなくなった日から5年を経過しない者」を指します。
	当法人は，暴力団員等又は暴力団員等が役員である法人の計算において買受けの申出をする者ではありません。
	（該当する者【※注意書8参照】がいる場合のみ□にチェックし，別紙を添付する。該当する者がいない場合には□にチェックしない。） □　自己の計算において当法人に買受けの申出をさせようとする者は，別紙「自己の計算において買受けの申出をさせようとする者に関する事項」記載のとおりです。 この者は，暴力団員等又は暴力団員等が役員である法人ではありません。

（陳述書作成日）令和　　　年　　　月　　　日

買受申出人（法人）	代表者	法人の所在地	〒　　－
		法人の名称	
		代表者氏名	㊞
		役　員	別紙「買受申出人（法人）の役員に関する事項」のとおり

注　　意

1　陳述書は，一括売却される物件を除き，物件ごとに別の用紙を用いてください（**鉛筆書き不可**）。
2　事件番号及び物件番号欄には，公告に記載された番号をそれぞれ記載してください。事件番号及び物件番号の記載が不十分な場合，入札が無効となる場合があります。
3　本用紙は，買受申出人が法人の場合のものです。個人の場合は，個人用の用紙を用いてください。
4　共同入札の場合には，入札者ごとに陳述書及び添付書類を提出してください。
5　陳述書は，**必ず入札書とともに提出してください。提出がない場合，入札が無効**となります。
6　所在地，名称及び代表者氏名は，資格証明書（代表者事項証明，全部事項証明等）のとおり，正確に記載してください。**記載に不備がある場合，入札が無効となる場合があります。**
7　買受申出人が**宅地建物取引業者**の場合には，その免許を受けていることを証明する文書の写しを提出してください。
※8　自己の計算において買受けの申出をさせようとする者（買受申出人に資金を渡すなどして買受けをさせようとする者をいいます。）がある場合は，別紙「自己の計算において買受けの申出をさせようとする者に関する事項」の添付が必要です。
9　**提出後の陳述書及び添付書類（別紙を含む）の訂正や追完はできません。**
10　**虚偽の陳述をした場合には，6月以下の懲役又は50万円以下の罰金に処せられることがあります**（民事執行法213条）。

(別紙)
※該当する□にチェックを入れてください。

買受申出人（法人）の役員に関する事項		
1 □代表者	住　　所	〒　　　－
	（フリガナ）	
	氏　　名	
	性　　別	□　男性　　　□　女性
	生年月日	□昭和 □平成　　　年　　　　月　　　　日 □西暦
2	住　　所	〒　　　－
	（フリガナ）	
	氏　　名	
	性　　別	□　男性　　　□　女性
	生年月日	□昭和 □平成　　　年　　　　月　　　　日 □西暦
3	住　　所	〒　　　－
	（フリガナ）	
	氏　　名	
	性　　別	□　男性　　　□　女性
	生年月日	□昭和 □平成　　　年　　　　月　　　　日 □西暦
4	住　　所	〒　　　－
	（フリガナ）	
	氏　　名	
	性　　別	□　男性　　　□　女性
	生年月日	□昭和 □平成　　　年　　　　月　　　　日 □西暦

注　　　意

1　買受申出人が法人の場合は，本書面の提出が必要です。提出がない場合，入札が無効となります。

2　**役員全員（代表者を含む）**の氏名，住所，生年月日及び性別を正確に記載してください。記載に不備がある場合，入札が無効となる場合があります。

【陳述書に記載すべき役員の範囲の例】
　　株式会社，有限会社　　　　　　　　　　：取締役，監査役，会計参与，執行役
　　持分会社（合名会社，合資会社，合同会社）：社員
　　その他の法人　　　　　　　　　　　　　：上記役員等に準ずる者
　　※　なお，役員が法人の場合は，当該法人の役員についても陳述する必要があります。

3　役員の氏名，住所，生年月日及び性別などを証明する文書（住民票等）の添付は不要です。

4　役員が5人以上の場合は，本用紙を複数枚用いてください。

5　**提出後の本書面の訂正や追完はできません。**

244

(別紙)
※該当する□にチェックを入れてください。

自己の計算において買受けの申出をさせようとする者に関する事項		
□個人	住　　所	〒　　－
	（フリガナ）	
	氏　　名	
	性　　別	□　男性　　　□　女性
	生年月日	□昭和 □平成　　　年　　　　月　　　　日 □西暦
□法人	法人の所在地	〒　　－
	名　　称	
	役　　員	別紙「自己の計算において買受けの申出をさせようとする者（法人）の役員に関する事項」のとおり

注　　意

1　自己の計算において買受けの申出をさせようとする者がいる場合は，本書面の提出が必要です（複数いる場合は，本用紙を複数枚用いてください。）。**提出がない場合，入札が無効となります。**
2　自己の計算において買受けの申出をさせようとする者が個人の場合は，その氏名，住所，生年月日及び性別を証明する文書（住民票等）の添付が必要です。**添付がない場合，入札が無効となります。**
3　自己の計算において買受けの申出をさせようとする者が法人である場合は，別紙「自己の計算において買受けの申出をさせようとする者（法人）の役員に関する事項」の添付が必要です。
4　（個人の場合）氏名，住所，生年月日及び性別は，それらを証明する文書のとおり，正確に記載してください。
　　（法人の場合）名称及び所在地は，資格証明書（代表者事項証明，全部事項証明等）のとおり，正確に記載してください。
　　記載に不備がある場合，入札が無効となる場合があります。
5　自己の計算において買受けの申出をさせようとする者が**宅地建物取引業者の場合は，その免許を受けていることを証明する文書の写しを提出してください。**
6　**提出後の本書面及び添付書類の訂正や追完はできません。**

（別紙）
※該当する□にチェックを入れてください。

自己の計算において買受けの申出をさせようとする者（法人）の役員に関する事項		
1 □代表者	住　　所	〒　　　―
	（フリガナ）	
	氏　　名	
	性　　別	□　男性　　　　□　女性
	生年月日	□昭和 □平成　　　　年　　　　　月　　　　　日 □西暦
2	住　　所	〒　　　―
	（フリガナ）	
	氏　　名	
	性　　別	□　男性　　　　□　女性
	生年月日	□昭和 □平成　　　　年　　　　　月　　　　　日 □西暦
3	住　　所	〒　　　―
	（フリガナ）	
	氏　　名	
	性　　別	□　男性　　　　□　女性
	生年月日	□昭和 □平成　　　　年　　　　　月　　　　　日 □西暦
4	住　　所	〒　　　―
	（フリガナ）	
	氏　　名	
	性　　別	□　男性　　　　□　女性
	生年月日	□昭和 □平成　　　　年　　　　　月　　　　　日 □西暦

注　　　意

1　自己の計算において買受けの申出をさせようとする者が法人の場合は，本書面の提出が必要です。**提出がない場合，入札が無効となります。**
2　役員全員（代表者を含む。）の氏名，住所，生年月日及び性別を正確に記載してください。**記載に不備がある場合，入札が無効となる場合があります。**
　　【陳述書に記載すべき役員の範囲の例】
　　　株式会社，有限会社　　　　　　　　　　　：取締役，監査役，会計参与，執行役
　　　持分会社（合名会社，合資会社，合同会社）：社員
　　　その他の法人　　　　　　　　　　　　　　：上記役員等に準ずる者
　　　※　なお，役員が法人の場合は，当該法人の役員についても陳述する必要があります。
3　役員の氏名，住所，生年月日及び性別などを証明する文書（住民票等）の添付は不要です。
4　役員が5人以上の場合は，本用紙を複数枚用いてください。
5　**提出後の本書面の訂正や追完はできません。**

8 子の引渡し（ハーグ条約実施法による解放実施を含む）申立て関係

〔84〕 間接強制申立書（子の引渡し）

受付印	間 接 強 制 申 立 書 （子の引渡し）
	（この欄に収入印紙２０００円分を貼ってください。）
収 入 印 紙　　　　　円	
予納郵便切手　　　　円	（貼った印紙に押印しないでください。）

家 庭 裁 判 所　　　御中 令和　　年　　月　　日	債 権 者 の 記 名 押 印	印

添付書類	（審理のために必要な場合は，追加書類の提出をお願いすることがあります。） □執行力のある債務名義正本　　　　□債務名義の確定証明書 □債務名義の送達証明書　　　　　　□申立書副本 □送達場所等の届出書　　　　　　　□ □	準口頭

債 権 者	住　　所	〒　　　－ （　　　　方）
	フリガナ 氏　　名	
債 務 者	住　　所	〒　　　－ （　　　　方）
	フリガナ 氏　　名	
子	フリガナ 氏　　名	
	フリガナ 氏　　名	

〔注〕太枠の中だけ記入してください。
〔注〕□の部分は，該当するものにチェックしてください。

（　　／　　）

247

申 立 て の 趣 旨

1　債務者は，子　　　　　　　　を債権者に引き渡せ。

2　債務者が本決定の告知を受けた日から　　　　日以内に前項記載の債務を履行し
ないときは，債務者は，債権者に対し，上記期間経過の日の翌日から履行済みま
で，1日当たり　　　　　　　　円の割合による金員を支払え。

申 立 て の 理 由

　債務者は，　　　　　　家庭裁判所　　　　支部令和　　年（　　）第　　　　号
　　　　　　事件の（□審判・決定，□判決，□調停調書，□和解調書，□　　　　　　）
正本に基づき，申立ての趣旨第1項記載の義務を有するところ，同義務を履行しな
い。

　また，債務者に上記義務の履行を強制するための間接強制金は，下記の記載及び
その記載を裏付ける書類等によれば，申立ての趣旨第2項記載の金員とすることが
相当である。

　よって，申立ての趣旨記載の裁判を求める。

記

1　債務者の資産・収支状況は，別表のとおりである。

2　債務者には，生計を同一にする家族が

　□　いない。

　□　いる。

　（続柄　　　　氏名　　　　　　：収入　□　あり　□　なし　）

　（続柄　　　　氏名　　　　　　：収入　□　あり　□　なし　）

　（続柄　　　　氏名　　　　　　：収入　□　あり　□　なし　）

（注）　太枠の中だけ記入してください。

（注）　□の部分は，該当するものにチェックしてください。

（注）　この申立書は，債務者に送付されたり，利害関係人が閲覧や謄写をしたりする可能性がありますので，その
　　　点に御留意のうえ，記載してください。

（　　／　　）

（別表）

資産・収支状況表

(1) 所有財産

金融機関名 (銀行支店名，証券会社名 など)	資産種類 (普通預金，株式など)	金　額	備　考 (提出資料など)
		円	
		円	
		円	

(2) 収入

種　　　類	金　額（年　額）	提　出　資　料
□給与・役員報酬	円	□　源泉徴収票 □　給与支払明細書・ 　賞与支払明細書
□自営業の収入 □不動産収入	円	□　確定申告書写し □　その他
□その他	円	

(3) 支出

費目	種　　　類	金　額（月　額）	備　考 (提出資料など)
住居費	家賃・地代など	円	
生活費	食費・光熱費など	円	
学　費	塾代を含む	円	
負　債	住宅ローンなど	円	
その他		円	
合　計		円	

(注)　太枠の中だけ可能な範囲で記入してください。
(注)　□の部分は，該当するものにチェックしてください。
(注)　この申立書は，債務者に送付されたり，利害関係人が閲覧や謄写をしたりする可能性がありますので，その点に御留意のうえ，記載してください。

（　　／　　）

〔85〕執行官に子の引渡しを実施させる決定申立書

受付印	執行官に子の引渡しを実施させる決定申立書
	（この欄に収入印紙２０００円分を貼ってください。）
収 入 印 紙　　　　円	
予納郵便切手　　　　円	（貼った印紙に押印しないでください。）

家 庭 裁 判 所	債 権 者	
御 中	の 記 名 押 印	印
令和　　年　　月　　日		

| 添付書類 | （審理のために必要な場合は，追加書類の提出をお願いすることがあります。） ☐執行力のある債務名義正本　　☐債務名義の確定証明書 ☐債務名義の送達証明書　　　　☐間接強制決定（謄本・正本） ☐間接強制決定の確定証明書　　☐申立書副本 ☐送達場所等の届出書 ☐ | 準口頭 |

債権者	住　　所	〒　　　－　　　　　　　　　　　　　　　　　　　　　（　　　　方）
	フリガナ 氏　　名	
債務者	住　　所	〒　　　－　　　　　　　　　　　　　　　　　　　　　（　　　　方）
	フリガナ 氏　　名	
子	住　　所	☐　債務者と同居 ☐　以下のとおり 〒　　　－　　　　　　　　　　　　　　　　　　　　　（　　　　方）
	フリガナ 氏　　名	
	住　　所	☐　債務者と同居 ☐　以下のとおり 〒　　　－　　　　　　　　　　　　　　　　　　　　　（　　　　方）
	フリガナ 氏　　名	

(注) 太枠の中だけ記入してください。
(注) ☐の部分は，該当するものにチェックしてください。
（　　／　　）

250

申 立 て の 趣 旨

　債権者の申立てを受けた執行官は，債務者の費用で，民事執行法１７５条に規定する債務者による子　　　　　　　の監護を解くために必要な行為をすることができるとの決定を求める。

申 立 て の 理 由

1　債務名義の表示

　債務者は，　　　　　　家庭裁判所　　　　支部令和　　年（　　）第　　　号　　　　　　事件の（□審判・決定，□判決，□調停調書，□和解調書，□　　　　　）正本に基づき，子（ら）を債権者に引き渡す義務を有するところ，同義務を履行しない。

2　子の引渡しの直接的な強制執行を求める理由

□(1)　**これまでに間接強制の方法による強制執行を行っている場合**

　　　債権者は，御庁に対し，間接強制の申立てをし（　　　　　　家庭裁判所　　　　支部令和　　年（家ロ）第　　　　号間接強制申立事件），間接強制の決定がされた。この決定は，令和　　年　　月　　日に確定し，

　　□　同日から２週間を経過した

　　□　同決定において定められた履行期限である令和　　年　　月　　日を経過した

　　が，債務者は子（ら）を債権者に引き渡さなかった。

□(2)　**これまでに間接強制の方法による強制執行を行っていない場合**

　　□　下記３に具体的に述べるとおり，間接強制の方法による強制執行を実施しても，債務者が子（ら）の監護を解く見込みがあるとは認められない。

　　□　下記３に具体的に述べるとおり，子（ら）の急迫の危険を防止するため直ちに執行官に子の引渡しを実施させる方法による強制執行をする必要がある。

(注)　太枠の中だけ記入してください。
(注)　□の部分は，該当するものにチェックしてください。
(注)　この申立書は，債務者に送付されたり，利害関係人が閲覧や謄写をしたりする可能性がありますので，その点に御留意のうえ，記載してください。

（　　／　　）

申 立 て の 理 由
3　具体的事情

(注)　太枠の中だけ記入してください。
(注)　□の部分は，該当するものにチェックしてください。
(注)　この申立書は，債務者に送付されたり，利害関係人が閲覧や謄写をしたりする可能性がありますので，その点に御留意のうえ，記載してください。

（　／　）

〔86〕第三者の占有する場所での執行の許可申立書

<table>
<tr><td rowspan="2">受付印</td><td colspan="2">第三者の占有する場所での執行の許可申立書</td></tr>
<tr><td colspan="2">（この欄に収入印紙５００円分を貼ってください。）

（貼った印紙に押印しないでください。）</td></tr>
<tr><td>収入印紙　　　　　円</td><td></td><td></td></tr>
<tr><td>予納郵便切手　　　円</td><td></td><td></td></tr>
</table>

家庭裁判所　　　御中 令和　　年　　月　　日	債 権 者 の 記 名 押 印	印

執行官に子の引渡しを実施させる 決 定 申 立 事 件 の 表 示	令和　　　年（家ロ）第　　　号

添付書類	（審理のために必要な場合は，追加書類の提出をお願いすることがあります。）	準口頭

債 権 者	住　所	〒　　－ （　　　　方）
	フリガナ 氏　名	
債 務 者	住　所	〒　　－ （　　　　方）
	フリガナ 氏　名	

（注）　太枠の中だけ記入してください。

申　立　て　の　趣　旨

　債権者の申立てを受けた執行官が，下記1の場所で民事執行法175条1項各号に規定する下記2の債務者による子　　　　　　　　　　の監護を解くために必要な行為をすることを許可するとの決定を求める。

記

1　場　所

（占有者　　　　　　　　　　　）

2(1)　1記載の場所に立ち入り，子を捜索すること。この場合において，必要があるときは，閉鎖した戸を開くため必要な処分をすること。

　(2)　債権者若しくはその代理人と子を面会させ，又は債権者若しくはその代理人と債務者を面会させること。

　(3)　1記載の場所に債権者又はその代理人を立ち入らせること。

申　立　て　の　理　由（※）

(注)　太枠の中だけ記入してください。

(注)　この申立書は，利害関係人が閲覧や謄写をしたりする可能性がありますので，その点に御留意のうえ，記載してください。

※　　申立ての理由には，①申立ての趣旨において記載した住所が子の住居であることや，②その住居の占有者の氏名・名称のほか，③その占有者と債務者との関係や，子の住居で強制執行を行った場合に占有者の私生活又は業務に与える影響などに照らして，当該住居で強制執行を行うことが相当であることを具体的に記載してください。

（　/　）

〔87〕債権者代理人の出頭の下での執行を認める決定申立書

受付印	**債権者代理人の出頭の下での執行を認める決定申立書**
	（この欄に収入印紙５００円分を貼ってください。）

| 収 入 印 紙 　　　円 | |
| 予納郵便切手　　　円 | （貼った印紙に押印しないでください。） |

家 庭 裁 判 所 　　　　　　　　　御中 令和　　年　　月　　日	債 権 者 の 記 名 押 印	印

執 行 官 に 子 の 引 渡 し を 実 施 さ せ る 決 定 申 立 事 件 の 表 示	令和　　年（家ロ）第　　　号

添付書類	（審理のために必要な場合は，追加書類の提出をお願いすることがあります。）	準口頭

債 権 者	住 所	〒　　－ （　　　　方）
	フリガナ 氏 名	
債 務 者	住 所	〒　　－ （　　　　方）
	フリガナ 氏 名	

（注）　太枠の中だけ記入してください。

（　／　）

申　立　て　の　趣　旨

債権者の申立てを受けた執行官は，下記の代理人が民事執行法１７５条１項又は
２項に規定する場所に出頭した場合においても，同条に規定する債務者による子
の監護を解くために必要な行為をすることができるとの決定を求める。

記

住　所　〒　　　　　－

氏　名

申　立　て　の　理　由　(※)

(注)　太枠の中だけ記入してください。
(注)　この申立書は，利害関係人が閲覧や謄写をしたりする可能性がありますので，その点に御留意のうえ，記載
してください。
※　申立ての理由には，①債権者が強制執行の場所に出頭することができない理由のほか，②代理人と子の関
係や，代理人が子に関して持っている知識や経験に照らしてその代理人が債権者の代わりに出頭することが
子の利益の保護のために相当であることを具体的に記載してください。

（　　／　　）

〔88〕執行官に対する，引渡実施申立書（民執規則158条）

引渡実施申立書

令和　　年　　月　　日

大阪地方裁判所　執行官　殿

　　　　　　　　　　　　　債権者代理人弁護士　　　　　　　　印

当事者の表示
　　住所
　　債権者　　　　　　　　　　　　　（　　　年　　月　　日生）

　　住所
　　電話
　　ＦＡＸ
　　債権者代理人弁護士

債権者代理人の出頭の下での執行を認める決定の有無　なし
　（注）あるときは，その旨並びに以下のように出頭代理人の氏名，住所及び生年月日を記載し，決
　　定の謄本を提出する。
　　　出頭代理人（上記決定により債権者に代わって出頭する代理人）
　　　　住所
　　　　氏名　　　　　　　　　　　　　（　　　年　　月　　日生）

　　　住所
　　　債務者

子の表示
　　住所
　　氏名　　　　　　　　　　（　　　年　　月　　日生，男・女）

引渡実施を行うべき場所（複数可）
　　債務者宅
　　債務者の両親宅

第三者の占有する場所での執行の許可の有無　なし
　（注）あるときは，その旨を記載し，許可を受けたことを証する文書を提出する。

　（注）債務者の住居その他債務者の占有する場所以外の場所において引渡実施を求めるときは，その場所を占有する者の氏名又は名称及びその場所において引渡実施を行うことを相当とする理由（その占有者の同意が得られる見込みの有無を含む。）を記載する。また，その理由を裏付ける資料を提出する。

引渡実施を希望する期間　令和　　年　　月　　日から同年　　月　　日までの間

執行官室に対する事前連絡の有無　あり

添付書類
　1　執行官に子の引渡しを実施させる決定の正本
　2　委任状
　3　債務者及び子の写真　　枚
　4　債務者及び子の生活状況に関する報告書
　5　子の引渡しを命ずる確定審判（写し）
　6　審問調書（　　通）
　7　陳述書（　　通）
　8　調査報告書
　9　債務者宅の周辺地図
　10　第三者の占有する場所での執行の許可を受けたことを証する文書
　11　債権者代理人の出頭の下での執行を認める決定謄本

以　上

〔89〕執行官に対する，解放実施申立書（ハーグ条約実施法）

解放実施申立書

令和　　年　　月　　日

大阪地方裁判所　執行官　殿

債権者代理人弁護士　　　　　　　　印

当事者の表示
　　住所
　　債権者　　　　　　　　　　　　　（　　　年　　月　　日生）

　　住所
　　電話
　　ＦＡＸ
　　債権者代理人弁護士

債権者代理人の出頭の下での執行を認める決定の有無　なし
　（注）あるときは，その旨並びに以下のように出頭代理人の氏名，住所及び生年月日を記載し，決
　　定の謄本を提出する。
　　　出頭代理人（上記決定により債権者に代わって出頭する代理人）
　　　　住所
　　　　氏名　　　　　　　　　　　　　（　　　年　　月　　日生）

　　　　住所
　　　　債務者

返還実施者の表示
　　上記債権者と同じ（　　　年　　月　　日生）
　　（注）返還実施者が債権者と異なる場合，以下を記載する。
　　日本国内における居所及び連絡先
　　　住所
　　　電話
　　　メールアドレス
　　　　　　　（子との関係：　　　　　　　　　　　　　）

子の表示
　　住所
　　氏名　　　　　　　　　　　（　　　年　　月　　日生，男・女）

解放実施を行うべき場所（複数可）
　債務者宅
　債務者の両親宅

第三者の占有する場所での執行の許可の有無　なし
　（注）あるときは，その旨を記載し，許可を受けたことを証する文書を提出する。

　（注）債務者の住居その他債務者の占有する場所以外の場所において解放実施を求めるときは，その場所を占有する者の氏名又は名称及びその場所において解放実施を行うことを相当とする理由（その占有者の同意が得られる見込みの有無を含む。）を記載する。また，その理由を裏付ける資料を提出する。

解放実施を希望する期間　令和　　年　　月　　日から同年　　月　　日までの間

執行官室に対する事前連絡の有無　あり
中央当局に対する連絡の有無　あり
中央当局の担当者の氏名

添付書類
　1　子の返還の代替執行の決定（授権決定）正本
　2　委任状
　3　子のパスポート（写し）
　4　債務者及び子の写真　　枚
　5　債務者及び子の生活状況に関する報告書
　6　子の返還を命ずる終局決定（写し）
　7　審問調書（　　通）
　8　陳述書（　　通）
　9　調査報告書
　10　債務者宅の周辺地図
　11　第三者の占有する場所での執行の許可を受けたことを証する文書
　12　債権者代理人の出頭の下での執行を認める決定謄本

　　　　　　　　　　　　　　　　　　　　　　　以　上

〔90〕債務者に関する調査票

債務者に関する調査票

ふりがな 債務者名 　　　　　電話　　　　－　　　　－	男 ・ 女	年齢 歳位	在宅状況 日中在宅・日中不在 不明・（　　　　　　）

在宅状況等

同居の状況

氏　　　　名	続柄	年齢	在宅状況
			日中在宅　　　　・　　　　日中不在 不明・（　　　　　　　　　　）
			日中在宅　　　　・　　　　日中不在 不明・（　　　　　　　　　　）
			日中在宅　　　　・　　　　日中不在 不明・（　　　　　　　　　　）
			日中在宅　　　　・　　　　日中不在 不明・（　　　　　　　　　　）
			日中在宅　　　　・　　　　日中不在 不明・（　　　　　　　　　　）

目的物件所在地（執行場所）の略図

（最寄駅から記載し，執行場所の周辺は具体的に書いてください。）

□別紙住宅地図のコピーのとおり

巻末書式集

〔91〕送達場所等の届出書

事件番号　令和　　年（　　）第　　　　　号
債権者
債務者

送達場所等（□変更）の届出書

　　　　　　　　　　　　　　　　令和　　　年　　　月　　　日

東京家庭裁判所　　　御中

　　　　　□債権者／□債務者　　　氏名　　　　　　　　　　　印
　　　　　　　　　　　　　　　　電話番号（　　　　－　　　－　　　　）

送達場所	□申立書記載の住所のとおり □以下のとおり 　郵便番号（　　　－　　　） 　住所 　　　　　　　　　　　　　　　（　　　　　　　　）方
あなたと送達場所 との関係	1　住所　2　勤務先　3その他（　　　　　　　　） 　※　番号を○で囲んでください。 　※「3その他」の場合は，カッコ内に具体的に記載すると共に， 　　　その場所に居住している人を送達受取人欄に記載してください。
送達受取人	

【注意事項】
※　届け出た場所で送達ができなかった場合，あなたに書類が現実に届かないまま手続が進行する可能性がありますので，届出場所は慎重に選んでください。
※　送達場所は，番地及び建物の名称まで正確に記載してください。
※　送達場所が勤務先の場合は，勤務先名を記載してください。
※　届出場所が変更になった場合は，速やかに「変更の届出」をしてください。
※　送達場所の非開示を希望する場合には，非開示の希望に関する申出書を作成して，その申出書の下に本書面をステープラー（ホチキス）などで付けて一体として提出してください。
※　送達受取人とは，あなたあての書類を代わって受け取ってくれる人です。

〔92〕債務名義等還付申請書

※ *申請に当たっては，還付を求める書面の写しを添付してください。*

執行力のある債務名義等還付申請書

　　　　　　　　　　　　　　　　　　　　　令和　　年　　月　　日

東京家庭裁判所家事第　　部御中

　　　　　　　　債権者　　　　　　　　　　　　　　　　印

債権者　　　　　　　　　　，債務者　　　　　　　　　間の
令和　　年（家ロ）第　　　　　　　　号間接強制申立事件について，
下記の書類を還付されたく申請します。

記

□　執行力のある債務名義正本　　　　　　　　　　　　　　通
　　　　　　　　裁判所　　　支部令和　　年（　）第　　　号
　　　　　　　　　　事件の

□　上記確定証明書　　　　　　　　　　　　　　　　　　通
□　上記送達証明書　　　　　　　　　　　　　　　　　　通
□　　　　　　　　　　　　　　　　　　　　　　　　　　通

受　領　書

　　　　　　　　　　　　　　　　　　　　　令和　　年　　月　　日

東京家庭裁判所家事第　　部御中
　　　　　　　　債権者　　　　　　　　　　　　　　　印

　下記の書類を受領しました。

記

□　執行力のある債務名義正本　　　　　　　　　　　　　　通
　　　　　　　　裁判所　　　支部令和　　年（　）第　　　号
　　　　　　　　　　事件の

□　上記確定証明書　　　　　　　　　　　　　　　　　　通
□　上記送達証明書　　　　　　　　　　　　　　　　　　通
□　　　　　　　　　　　　　　　　　　　　　　　　　　通

執筆者一覧

弁護士　待場　豊（まちば　ゆたか）〔アイマン総合法律事務所〕
1984年弁護士登録（36期）

弁護士　大砂裕幸（おおすな　ひろゆき）〔船場中央法律事務所〕
1986年弁護士登録（38期）

弁護士　北野隆志（きたの　たかし）〔北野グランデ法律事務所〕
2015年弁護士登録（67期）

弁護士　石川　慧（いしかわ　けい）〔アイマン総合法律事務所〕
2016年弁護士登録（69期）

弁護士　田中一郎（たなか　いちろう）〔田中一郎法律事務所〕
1997年弁護士登録（49期）

弁護士　藤内健吉（とうない　けんきち）〔心斎橋中央法律事務所〕
2006年弁護士登録（59期）

弁護士　三浦直樹（みうら　なおき）〔エコール総合法律特許事務所〕
1996年弁護士登録（48期）

弁護士　浅野永希（あさの　えいき）〔浅野・宗川法律事務所〕
2007年弁護士登録（60期）

弁護士　北井　歩（きたい　あゆむ）〔弁護士法人第一法律事務所〕
2010年弁護士登録（63期）

弁護士　田中智晴（たなか　ともはる）〔弁護士法人経営創輝〕
2006年弁護士登録（59期）

弁護士　楠　晋一（くすのき　しんいち）〔京橋共同法律事務所〕
2009年弁護士登録（62期）

弁護士　越智信哉（おち　しんや）〔岸和田法律事務所〕
2010年弁護士登録（63期）

弁護士　大江千佳（おおえ　ちか）〔堺法律事務所〕
2000年弁護士登録（52期）

弁護士　岡﨑倫子（おかざき　みちこ）〔きずな大阪法律事務所〕
2000年弁護士登録（53期）

弁護士　大西克彦（おおにし　かつひこ）〔谷町中央法律事務所〕
2001年弁護士登録（54期）

実務家による改正法シリーズ③

改正民事執行法等（令和2年施行）
の解説と書式

発行日　　　2021年4月30日

編集・発行　大阪弁護士協同組合
著　者　　　大阪改正民執法等研究会
　　　　　　〒530-0047
　　　　　　大阪市北区西天満1－12－5
　　　　　　　大阪弁護士会館内
　　　　　　ＴＥＬ　06－6364－8208
　　　　　　ＦＡＸ　06－6364－1693

印　刷　　　株式会社ぎょうせい

定価2,970円（本体2,700円＋10%税）